Tout sur le Chat

Tout sur le Chat

Caroline Davis

OCTOPUS

Publié pour la première fois en Grande-Bretagne
sous le titre : *Essential Cat* par Hamlyn, une filiale
de Octopus Publishing Group Ltd

© 2003 Octopus Publishing Group Ltd

Éditeur : Trevor Davies
Directeur artistique : Leigh Jones
Responsable du projet : Katy Denny
Maquettiste : Jo Tapper
Iconographes : Jennifer Veal, Christine Junemann

© 2004 Octopus/Hachette-Livre pour la traduction
et l'adaptation française

Traduction de l'anglais : Sabine Rolland
Réalisation et coordination éditoriale : Belle Page, Boulogne

Les conseils donnés dans cet ouvrage ne doivent en aucun cas
se substituer à ceux d'un vétérinaire. Aucun chat ou chaton
n'a été utilisé comme cobaye lors de la réalisation de ce livre.

Dépôt légal : 47515 - mars 2005

ISBN : 2-0126-0323-8

Imprimé en Chine

SOMMAIRE

INTRODUCTION

« Une maison sans chat – et j'entends un chat bien nourri, bien entretenu et bien choyé – peut, certes, être une maison parfaite, mais comment le prouver ? », s'interrogeait l'écrivain américain Mark Twain (1835-1910). Et il avait raison. En effet, tous leurs amoureux confirmeront sans pouvoir l'expliquer que les chats rendent l'atmosphère d'une maison plus accueillante, plus chaleureuse, plus rassurante et plus paisible. Même ceux qui prétendent ne pas les aimer changent souvent d'avis en apprenant à les connaître. Les inconditionnels de ces félins estiment qu'il manque tout simplement quelque chose à leur vie s'ils n'ont pas un chat qui se précipite à la porte pour les accueillir, pousse des petits miaous et se frotte contre leurs jambes en réclamant leur attention pour finir par se pelotonner sur leurs genoux, calme et ronronnant – un moment privilégié pour se donner des marques d'affection mutuelles.

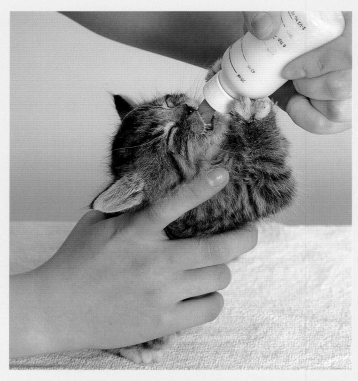

Pourquoi le chat est-il l'animal de compagnie idéal ?

On compte actuellement davantage de chats que de chiens dans les foyers de l'Hexagone, de même qu'en Grande-Bretagne et aux États-Unis. Pourquoi un tel engouement ? Parce que ce sont des animaux de compagnie relativement autonomes, capables de s'entretenir physiquement et de faire leurs besoins sans l'aide de leur maître, adaptés à un habitat restreint. De plus, le chat peut se montrer tout aussi affectueux et joueur que le chien.

Critères

✓ indépendant
✓ autonome
✓ calme
✓ propre
✓ économique
✓ peu encombrant
✓ amateur de caresses

Quel genre de compagnon est-il ?

Le chat est non seulement de bonne compagnie, mais il vous apporte un sentiment de paix et de tranquillité face à un monde de chaos et de stress. Des études ont montré que le chat – ou tout autre animal domestique – peut vous aider à vous relaxer si vous êtes tendu, à vous rétablir si vous êtes malade et à rester en pleine forme jusqu'à un âge avancé.

Les chats sont des animaux naturellement autonomes, même si vous devez veiller à leur sécurité en milieu urbain où, en raison de l'intensité du trafic, ils risquent de se faire écraser. Plus indépendants de nature que les chiens, ils peuvent toutefois se révéler des compagnons très fidèles et vous apporter beaucoup en vous demandant bien peu en retour, si ce n'est d'être nourris, logés, protégés et aimés.

Comment se dépense-t-il ?

En général, le chat se dépense physiquement en chassant (s'il peut aller dehors) et en jouant. Certains propriétaires, qu'ils vivent en ville ou à la campagne, aménagent un espace protégé dans leur cour ou leur jardin pour permettre à leur animal d'avoir une certaine liberté et de prendre l'air en toute sécurité.

Quels soins pour son hygiène quotidienne ?

Contrairement à d'autres animaux domestiques, le chat exige des soins quotidiens relativement limités – à l'exception des races à poil long qui doivent être brossées tous les jours pour garder une fourrure et une peau en parfaite santé. Comme c'est un animal très propre, qui fait méticuleusement sa toilette, il est généralement inutile de lui faire

Les chats font de formidables camarades de jeu, pour les enfants comme pour les adultes. Non seulement le jeu permet à l'animal et à son maître de se détendre et de s'amuser, mais il renforce leurs liens mutuels, distrait le chat (et donc le rend moins sujet à des troubles comportementaux) et lui assure une activité physique suffisante chaque jour.

La qualité actuelle de la médecine vétérinaire et de la nourriture pour chats permet à nos compagnons de vivre longtemps en pleine forme.

Question habituelle

Q Je travaille toute la journée à l'extérieur et j'ai peur que mon chat ne s'ennuie à rester tout le temps enfermé. Comment pourrais-je éviter cela ?

R L'idéal serait de lui trouver un compagnon. Mais je vous conseille d'acquérir dès le départ deux chatons pour qu'ils s'habituent tout de suite l'un à l'autre et vivent en bonne entente. En effet, un chat plus âgé et un chat plus jeune risquent de ne pas s'entendre très bien. Reportez-vous à la page 21 pour les avantages et les inconvénients qu'il y a à acquérir un seul chat ou deux chats.

prendre un bain. En revanche, un brossage régulier vous évitera de retrouver des poils partout dans la maison.

Avoir un chat coûte-t-il cher ?

L'entretien d'un chat n'est pas très coûteux. Outre la nourriture, la litière et quelques jouets (des boulettes de papier et des balles de ping-pong font parfaitement l'affaire), les seules autres dépenses courantes sont les traitements antiparasitaires recommandés par le vétérinaire, les vaccinations contre les maladies félines les plus courantes et les bilans de santé annuels. Vous pouvez également songer à prendre une assurance pour votre animal – un sage investissement, car en cas de maladie ou d'accident les soins vétérinaires peuvent coûter très cher.

Le chat est-il un animal bruyant ?

Le chat est un animal peu bruyant, contrairement au chien. Il ne dérangera donc pas vos voisins, ce qui est particulièrement important en milieu urbain. Si vous le nourrissez correctement, lui changez régulièrement son eau et sa litière, lui réservez un espace où il peut aller et venir ou se reposer en toute sécurité et lui laissez quelques jouets, votre chat verra

Fait félin

Chat se dit « mau » en égyptien, mot qui signifie aussi « voir » en référence à l'œil de Rê et à celui d'Horus, tous deux symboles du soleil. Selon certains, « miaou » dériverait de « mau ».

ses besoins fondamentaux pleinement satisfaits. Si, en plus, il peut se blottir sur vos genoux pour recevoir vos caresses lorsqu'il en a envie, ce sera un chat très heureux qui vous rendra largement l'affection que vous lui témoignez.

Où peut-il vivre ?

Un chat peut vivre heureux n'importe où – ou presque. De nombreux citadins gardent leur chat toute la journée à l'intérieur sans aucun problème. En étage toutefois, les fenêtres ou les balcons seront équipés de grillages pour prévenir des chutes.

CI-CONTRE *Si vous habitez en étage, veillez à ce que vos fenêtres soient bien fermées pour que votre chat ne puisse pas se glisser à l'extérieur ; vous pouvez aussi poser un grillage pour prévenir tout risque de chute.*

PAGE CI-CONTRE *Si vous n'êtes pas chez vous dans la journée, pensez à acquérir deux chats – ils se tiendront compagnie pendant votre absence.*

CHOISIR UN CHAT

Les chats n'ont pas tous les mêmes besoins ni le même caractère ; des conditions de vie idéales pour certains ne conviennent pas à d'autres. C'est pourquoi il est important que vous choisissiez un chat qui sera heureux de vivre à vos côtés et saura faire votre bonheur. Avez-vous suffisamment de temps à consacrer au toilettage quotidien d'un chat à poil long ? Souhaitez-vous un chat sociable et affectueux ou un compagnon plus indépendant ? Un chat adulte vous conviendrait-il davantage qu'un chaton ? Lisez attentivement les pages qui suivent pour faire le bon choix.

Chat de race, croisé ou sans pedigree ?

Vous pouvez avoir en tête le chat idéal – de telle ou telle couleur, de telle ou telle race et de tel ou tel caractère. Vous l'imaginez beau, affectueux et parfait dans son comportement en toutes circonstances… Mais ce serait oublier que les chats sont des êtres vivants, des individus possédant chacun leur propre caractère. Vous ne trouverez pas un chat « programmé » pour satisfaire exactement à tout ce que vous souhaitez. Certes, vous pouvez choisir la couleur et la race que vous préférez, mais l'attitude et le comportement de votre chat dépendront largement des vôtres. Certains chats de race possèdent des traits de caractère particuliers – une nature placide et très affectueuse, par exemple – qui pourront alors faciliter votre choix.

Les différentes catégories de chats

Tous les chats domestiques, quels que soient la couleur de leur robe, la longueur de leur poil et leur caractère, appartiennent à l'une de ces trois catégories.

1 Les chats de race ou à pedigree

Un chat dit de race (pure) est issu de deux parents de même race et de race pure, c'est-à-dire non croisée. L'avantage d'acquérir un chat à pedigree est que vous avez une idée assez précise du caractère et des caractéristiques qu'il possédera à l'âge adulte dès lors que vous vous renseignez sur sa race.

2 Les chats croisés

Un chat est dit croisé s'il est issu de deux parents à pedigree, mais de races différentes – d'un Persan et d'un British Shorthair, par exemple. Les chatons croisés ressemblent, en grandissant, à l'un ou à l'autre des parents ou aux deux. Certains peuvent être à poil long, d'autres à poil court, d'autres encore à poil mi-long.

3 Les chats sans pedigree ou de gouttière

Un chat est sans pedigree ou de gouttière si l'un de ses parents ou les deux sont croisés. Des mélanges de races différentes se font sur plusieurs générations, rendant l'aspect physique et le caractère de la descendance difficilement prévisibles.

Conseil

Les chats de race ne sont pas plus affectueux, plus intelligents et ne posent pas plus de problèmes que les autres. Et leur beauté est une affaire de goût. Les Orientaux ont tendance à se montrer plus exigeants vis-à-vis de leur maître, les Persans sont généralement plus placides et les chats sans pedigree sont réputés plus robustes. Mais la façon dont le propriétaire éduque son animal et s'en occupe détermine également son caractère, quelle que soit sa catégorie ou sa race. Que vous envisagiez d'avoir un chat de race ou de gouttière, sachez que sa stérilisation, ses vaccinations, sa nourriture et ses soins vous coûteront le même prix. Seul son coût d'achat initial sera différent.

CATÉGORIE	AVANTAGES	INCONVÉNIENTS
Chat de race 	• Après vous être renseigné sur la race, vous pouvez choisir le chat de vos rêves, sachant à quoi vous attendre quant à son aspect physique et à son caractère. • Il existe de nombreuses variétés et couleurs, parmi lesquelles vous trouverez votre bonheur. • Vous pouvez choisir la variété et la couleur que vous désirez, mais cela peut se révéler plus long. • Les chats de race sont généralement élevés avec le plus grand soin ; vous pouvez donc légitimement espérer acquérir un animal en bonne santé.	• Un chat de race est plus cher à l'achat qu'un chat croisé. • Certaines races sont prédisposées à des tares héréditaires ou à des problèmes de santé particuliers (surtout si elles sont élevées dans un but de conformité au standard). • Certaines races possèdent des traits de caractère ou nécessitent des soins particuliers, qui peuvent ne pas vous plaire ou ne pas convenir à votre style de vie. • Certaines races peuvent être difficiles à trouver, car peu répandues ou parce que la demande excède l'offre.
Chat croisé 	• Un chat croisé est généralement moins cher à l'achat qu'un chat de race. • Si vous connaissez ses parents, vous pouvez vous faire une idée de son apparence et de son caractère à l'âge adulte. • Il est d'ordinaire plus robuste que le chat de race, mais cela dépend du croisement. • Comme il s'agit le plus souvent de croisements délibérés, les animaux sont généralement bien socialisés et en bonne santé. Mais ce n'est pas toujours le cas, alors soyez vigilant.	• Les chats croisés ne sont pas toujours faciles à trouver, surtout si vous souhaitez un croisement très spécifique. • En raison du caractère des deux races concernées, certains mélanges sont assez explosifs, tel le croisement entre un Burmese et un Siamois. Comme ce sont deux races très actives, très bruyantes et qui ont besoin de beaucoup d'attention, leur combinaison peut engendrer un chat extrêmement exigeant ! Certains maîtres seront ravis, d'autres trouveront l'animal épuisant et exaspérant.
Chat sans pedigree 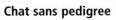	• Il est gratuit ou très bon marché. • Il existe un grand choix de variétés et de couleurs. • Il est habituellement facile à trouver. • Il possède généralement une santé plus robuste que les autres.	• Les parents étant souvent inconnus, l'apparence, le comportement et le caractère des petits sont difficiles à prévoir. • Vous pouvez attendre un moment pour trouver l'âge, la couleur et le sexe désirés. • Vous ne pouvez pas toujours savoir si l'animal a été éduqué et entretenu correctement. Recherchez d'éventuels signes de mauvaise santé ou de troubles du comportement.

Les différents types de poil

Les chats sont principalement à poil court ou à poil long (les chats à poil long étant souvent assimilés, à tort, aux Persans qui constituent une race en soi) et leur robe est plus ou moins épaisse suivant leur race. Les races à poil court peuvent présenter une variante, le chat nu (le Sphinx, par exemple), qui n'a qu'un léger duvet sur les oreilles, le nez, la queue et – chez les mâles – les testicules. Les chats à poil mi-long ne possèdent pas une fourrure aussi épaisse ni aussi longue que les chats à poil long. Enfin, certaines races sont dotées d'un poil frisé, bouclé ou ondulé (le Rex Cornish, le Rex Selkirk et le Laperm, à poil long ou court).

Les couleurs de robe

Les robes de nos petits félins offrent une grande variété de couleurs, mais ce sont celles des chats de race qui peuvent se prévaloir de la plus grande diversité. Les couleurs de base comme le noir, le blanc, le crème et l'argent sont faciles à reconnaître, mais certaines nuances sont plus difficiles à identifier [voir tableau ci-dessous].

Crème

Arlequin. Robe bicolore présentant 50 à 75 % de blanc et 25 à 50 % d'une autre couleur.

Bicolore. Robe de deux couleurs dont obligatoirement le blanc.

Bleu. Toutes les nuances froides du gris (ardoise, en particulier).

Bleu crème. Version diluée de l'écaille de tortue. La robe offre des mélanges ou des taches de gris pâle et de crème clair. Il existe d'autres variétés de couleur comme le chocolat crème et le lilas crème.

Bronze. Un brun cuivré chaud qui s'éclaircit pour aller jusqu'au chamois.

Brun. Tous les tons de brun foncé – excepté chez le tabby brun où le brun fait référence à un chat génétiquement noir qui possède des marques noires sur un fond agouti, c'est-à-dire tiqueté à la manière du lièvre.

Calico ou écaille et blanc. Robe tricolore (noir, roux et blanc).

Cameo. Poil blanc dont l'extrémité est d'un roux abricot.

Cannelle. De teinte chocolat clair.

Caramel. Une nuance subtile de brun orangé clair.

Champagne. Teinte d'un chamois crème, avec des ombres d'un beige miel chaud à un brun clair légèrement doré.

Chinchilla. Fourrure blanche, avec extrémité des poils de couleur noire.

Chocolat. Robe d'un brun chaud et riche.

Colourpoint. Corps de couleur claire avec queue, pattes, masque et oreilles de couleur plus foncée.

Écaille de tortue. Robe bicolore noir et roux.

Bleu

Colourpoint roux

Uni

Question habituelle

Q Est-il préférable d'avoir un chat à poil court, à poil long ou à poil mi-long ?

R Vous préférez peut-être l'apparence d'un chat à poil mi-long ou long, mais aurez-vous le temps et l'envie de lui démêler et de lui brosser sa fourrure tous les jours ? Accepterez-vous de trouver des poils dans toute la maison ? Les chats à poil long nécessitent un toilettage quotidien pour garder une fourrure et une peau en parfait état, tandis que les chats à poil court se débrouillent largement tout seuls en se léchant et, même s'ils perdent des poils, c'est en petite quantité.

Fumé. Le sous-poil est blanc et le poil de jarre est blanc à la racine et coloré sur le reste de sa longueur.

Lilas. D'un gris-rose très pâle.

Particolore. D'une fourrure au moins bicolore et qui comporte toujours du blanc.

Patched tabby. D'une robe écaille de tortue, avec des motifs tabby superposés.

Platine. D'un gris argenté pâle, avec des nuances de fauve très clair.

Roux. Tous les tons de roux sont possibles, mais les cuivrés foncés sont les plus recherchés.

Ruddy. Variante de la robe génétiquement noire de l'Abyssin, d'un brun rougeâtre ou terre de Sienne brûlée.

Sable. Adjectif parfois utilisé pour désigner des chats brun foncé génétiquement noirs.

Sorrel. Variété rousse de l'Abyssin au pelage orange brunâtre à brun clair.

Tabby. Il existe quatre types de marques tabby : le tiqueté (chaque poil offre une alternance de bandes sombres et de bandes claires), le tigré (bandes verticales), le tacheté et le marbré (les flancs sont recouverts de volutes en forme d'huître).

Tipped. La couleur se limite à l'extrémité du poil, ce qui peut produire un effet miroitant.

Uni. D'une seule couleur.

Vison. Dessin caractéristique du Tonkinois.

Tabby marbré argenté

Bleu, écaille et blanc

Les races et leurs particularités

Il existe des chats de toutes formes et de toutes tailles pour satisfaire les exigences et les goûts les plus variés. Quelques exemples : le Munchkin, avec ses membres courts (considéré comme le chat parfait puisqu'il est incapable de sauter sur la table de la cuisine !) ; le Scottish Fold, avec ses oreilles repliées ; l'American Curl, avec ses oreilles recourbées vers l'arrière ; le Manx, dépourvu de queue ; le Bobtail japonais, qui arbore un petit bout de queue en forme de pompon et le Bobtail américain dont les cris sont insolites.

Votre style de vie

Votre style de vie déterminera en grande partie le choix de tel ou tel type de chat. N'oubliez pas que vous êtes responsable de la bonne santé physique et psychologique de votre compagnon tout au long de sa vie et que c'est à vous de trouver une personne ou une structure pour remplir ce rôle quand vous ne pouvez pas l'assumer, par exemple si vous partez en vacances ou devez vous absenter de chez vous pour une raison quelconque.

Certaines races nécessitent davantage de soins et d'attention que d'autres, alors ne choisissez un chat réputé « exigeant » que si vous êtes sûr de pouvoir vous en occuper correctement au cours des quinze prochaines années. Si vous achetez un chat à poil long, sachez que vous devrez apprendre à entretenir convenablement sa fourrure. Si vous

La peau du Sphinx doit avoir l'aspect du velours et la texture de la mousse. Ce chat n'a ni sourcils ni moustaches ; puisqu'il n'est pas protégé du froid par ses poils, il doit être tenu bien au chaud.

Si vous voulez un chat de race qui participe aux expositions, veillez à choisir un excellent spécimen et soyez prêt à y mettre le prix.

Vous serez peut-être séduit par ce Persan à face de Pékinois en visitant une exposition féline, mais sachez que les spécimens conformes au standard de cette variété ont souvent des problèmes respiratoires et des anomalies liés à l'écrasement de leur face. De plus, certaines races (ou lignées) présentent des comportements caractéristiques que vous pouvez juger indésirables. Alors informez-vous sérieusement sur la race qui vous intéresse. Si possible, discutez avec des propriétaires, des vétérinaires et des éleveurs avant de vous décider.

souhaitez un chat actif et extraverti, n'oubliez pas que vous devrez lui consacrer beaucoup de temps et d'attention. Tenir compte de tous ces éléments semble une évidence, mais les organismes de protection animale doivent pourtant faire face à l'abandon de milliers de chats dont les propriétaires étaient incapables de s'occuper correctement.

Alors, chat de race, chat croisé ou chat de gouttière ? Chat à poil long, à poil court ou à poil mi-long ? Maintenant que vous connaissez les avantages et les inconvénients de chacun, c'est à vous que revient la décision finale. Mais vous avez encore d'autres éléments à prendre en considération avant de faire votre choix. Lesquels ? Vous le saurez en lisant les pages qui suivent.

Fait félin

Le classement des différentes races de chats a commencé dès le début du XXᵉ siècle. Aujourd'hui, plus de soixante races sont officiellement reconnues, ainsi que des centaines de variétés de couleurs.

Les chats à poil long doivent être toilettés régulièrement pour garder une fourrure et une peau parfaitement saines. Les longues fourrures pouvant masquer de nombreux problèmes, comme une perte ou une prise de poids, ou une infestation par des tiques, vous devez rester vigilant.

Chaton ou chat adulte ?

La plupart des gens qui souhaitent acquérir un chat pensent tout de suite à un chaton. Mais ce choix n'est peut-être pas adapté à leur style ou à leurs conditions de vie. Le caractère, voire le mauvais caractère d'un animal, est plus facile à identifier chez un chat adulte. Avant de prendre une décision, tenez compte des considérations qui suivent.

Critères

✔ votre style de vie
✔ vos conditions de vie
✔ votre temps libre
✔ vos exigences
✔ vos autres animaux domestiques
✔ votre âge

ÂGE	AVANTAGES	INCONVÉNIENTS
Chaton 	• Les chatons et les jeunes chats sont généralement plus adaptables que les chats adultes, mais cela dépend des circonstances et de leur caractère. • Vous aurez le plaisir de voir grandir votre animal. • Vous aurez de nombreuses années heureuses à passer ensemble. • Vous pourrez l'éduquer comme vous le souhaitez. • Si vous achetez deux chatons, ils se tiendront compagnie.	• Le chaton a besoin de manger plusieurs fois par jour, à intervalles réguliers, et d'une attention constante ; il faut donc lui consacrer beaucoup de temps. • Le chaton peut avoir peur d'arriver dans une grande famille, à moins d'avoir été élevé dans ce type d'entourage et d'être habitué aux humains et éventuellement aux autres animaux domestiques depuis sa naissance. • Si vous avez de jeunes enfants, votre chaton aura du mal à les fuir, voire, éventuellement, à se défendre. • Le chaton n'a pas encore été stérilisé.
Chat adulte 	• S'occuper d'un chat adulte prend moins de temps. • Son caractère est déjà connu. • Il est déjà propre. • Il est normalement habitué aux hommes et à d'autres animaux. • Il a généralement été stérilisé.	• Il peut avoir besoin de temps pour établir des liens avec vous, votre famille et/ou d'autres animaux domestiques. • Il ne lui reste peut-être plus beaucoup d'années à vivre. • Son intégration dans votre foyer peut se révéler plus difficile. • Il peut être porteur d'une maladie. • Il peut avoir des comportements indésirables.

Question habituelle

Q Mieux vaut un mâle ou une femelle ?

R Si vous songez à faire stériliser votre chat ou votre chaton, la question du sexe a peu d'importance. Les mâles castrés sont d'ordinaire plus gros que les femelles opérées, mais c'est la seule différence majeure. Les mâles châtrés sont réputés plus affectueux que les femelles, mais cela dépend beaucoup de leur éducation et des rapports maître/animal. Pour en savoir davantage sur la castration et l'ovariectomie/hystérectomie, consultez les pages 140-143.

Les chats et les enfants

Les enfants âgés de trois ans et moins ne sont pas censés savoir approcher et manipuler correctement un chat, c'est pourquoi une étroite surveillance constitue le meilleur moyen de prévenir les coups de griffes ! Bien sûr, il est naturel pour un enfant, quel que soit son âge, de vouloir découvrir son nouveau compagnon et établir un lien avec lui, mais lui enfoncer le doigt dans l'oreille ou le réveiller pendant son sommeil ne sont pas des méthodes très appréciées par l'animal ! D'où l'importance d'apprendre aux enfants à traiter leur chat avec douceur et respect, afin qu'ils deviennent les meilleurs amis du monde. Consultez les pages 94-95 à ce sujet.

Pour des raisons de sécurité, ne laissez jamais un enfant saisir brusquement un chat ou un chaton ni lui courir après.

Un seul chat ?

Votre chat sera plus heureux avec un congénère ou un autre animal domestique, surtout si vous devez le laisser seul plusieurs heures par jour. Cependant, les animaux doivent avoir été élevés ensemble. Si vous envisagez d'acquérir deux chats, choisissez de préférence un couple de chatons du même âge ou deux adultes habitués l'un à l'autre. Reportez-vous aux pages 82-83 pour tout savoir sur l'accueil d'un second chat dans la maison.

Mâle ou femelle ?

Femelle (ci-contre à gauche): la vulve est l'ouverture verticale située juste en dessous de l'anus. Notez la proximité des deux ouvertures.

Mâle (ci-contre à droite): l'anus – comme chez la femelle – est situé juste en dessous de la queue. Sous l'anus se trouve le scrotum qui renferme les testicules. Quant au pénis, il est dissimulé dans l'ouverture visible en dessous du scrotum.

Quand acquérir un chat ?

Que vous optiez pour un chat adulte ou un chaton, vous devez vous demander si la vie que vous menez actuellement est compatible avec cette démarche. Certes, vous avez très envie d'un chat, mais est-ce vraiment le bon moment pour en acquérir un ? Avant de vous décider, tenez compte des considérations qui suivent.

Critères

✓ l'animal que vous désirez n'est pas disponible
✓ vous allez partir en vacances
✓ vous avez des responsabilités professionnelles
✓ vous traversez une période de stress
✓ vous êtes enceinte
✓ la saison n'est pas propice
✓ vous avez des responsabilités familiales
✓ votre situation actuelle ne s'y prête pas

Une décision mûrement réfléchie

Ce n'est peut-être pas le bon moment d'acquérir un chat si vous :

• déménagez,
• êtes complètement débordé dans votre travail et en dehors,
• changez d'emploi,
• êtes licencié,
• êtes gravement malade,
• vous séparez de votre partenaire,
• êtes en deuil,
• attendez un nouvel enfant,
• devez partir en vacances,
• allez bouleverser la routine familiale ces temps-ci.

Bien sûr, il existe toujours des exceptions à la règle et nombreux sont les maîtres à trouver un réconfort auprès de leur chat en période de grandes difficultés. Mais ils peuvent penser, à tort, que leurs problèmes personnels ne se répercutent absolument pas sur leur animal, tant qu'ils continuent de le nourrir et de s'en occuper. Le chat sent très bien quand son maître a des soucis et éprouve lui-même une certaine anxiété. Son inquiétude se manifeste par un comportement inhabituel. L'animal peut chercher à attirer l'attention par tous les moyens, faire ses besoins aux quatre coins de la maison, voire disparaître pendant un moment (certains chats vont même jusqu'à quitter définitivement le domicile). Par conséquent, soyez certain de pouvoir lui offrir une sécurité matérielle et affective au sein d'un foyer stable et harmonieux.

Question habituelle

Q Je suis enceinte. Est-il préférable d'acquérir un chat avant ou après la naissance ?

R Attendez d'avoir votre enfant pour accueillir un chat chez vous. L'animal considérera ainsi votre enfant comme faisant partie de la famille et non comme un intrus. Si vous êtes enceinte et possédez déjà un chat, sachez que la toxoplasmose [voir p. 97] peut vous concerner, sauf si vous vermifugez correctement votre animal et respectez certaines règles d'hygiène, ce qui réduit considérablement les risques.

Les vacances

Attendez d'avoir passé vos vacances pour acquérir un chat. Sinon, il risque d'être perturbé presque coup sur coup – la première fois lorsque vous le séparez de son foyer d'origine et la seconde lorsque vous le laissez en pension ou entre les mains d'une personne de confiance. Pour son équilibre physique et psychologique, un animal qui vient d'être adopté a besoin d'une période d'adaptation suffisante lui permettant de prendre ses repères et de se sentir en sécurité dans son nouvel environnement avant de subir un autre bouleversement – un déménagement, même provisoire, en l'occurrence.

La disponibilité du chat de vos rêves

Acquérir un chat n'est pas toujours si facile qu'il y paraît, et ce pour plusieurs raisons.

- Un chaton ou un chat adulte de la race, de la couleur ou du sexe que vous souhaitez peut ne pas être disponible sur-le-

Chats ou chatons, ils sont tous adorables et il est difficile de résister au désir d'en adopter un... Mais ne vous décidez pas trop vite. Prenez le temps de vous demander si c'est vraiment le bon moment d'acquérir l'un de ces charmants félins.

Le saviez-vous ?

- Les chats anxieux ou qui se sentent en danger chez eux peuvent faire leurs besoins partout dans la maison. Ils marquent ainsi leur territoire avec leurs propres odeurs, ce qui les aide à se sentir davantage en sécurité.
- Il faut du temps à un chat pour apprendre à bien connaître son nouveau maître et son nouveau territoire, c'est pourquoi il est souvent perturbé pendant les six premiers mois.

champ. Vous serez peut-être obligé de faire connaître vos exigences à un éleveur (voire à plusieurs), afin qu'il puisse vous prévenir et vous donner la priorité dès qu'il aura un animal correspondant à vos critères.

- La disponibilité des chatons dépend des périodes de reproduction.
- Il y a généralement une forte demande de chatons dans les refuges pour animaux, ce qui signifie des délais d'attente souvent longs. Préparez-vous à faire preuve de patience.

Conseil

Avant d'acquérir un chat, pensez à ce que vous pouvez lui apporter et non à ce que vous croyez qu'il peut vous apporter.

Où trouver un chat ?

Il existe de nombreux moyens de se procurer un petit félin : auprès d'éleveurs de chats de race, de particuliers à qui leur chatte sans pedigree a fait don d'une portée de chatons, ou de refuges pour animaux, par exemple. C'est à vous de choisir, mais vous devez être parfaitement informé des avantages et des inconvénients éventuels de chaque solution.

Critères

✓ auprès d'un éleveur
✓ par le biais d'une annonce locale
✓ dans un refuge pour animaux
✓ dans la nature s'il est perdu ou abandonné
✓ dans une animalerie
✓ auprès d'un ami ou d'un membre de la famille

De multiples possibilités

Journal local, revues spécialisées, animaleries, petites annonces chez les vétérinaires, bouche à oreille : ce ne sont pas les possibilités qui manquent ! Si vous voulez un chaton, n'oubliez pas qu'il ne peut être séparé de sa mère sans risque qu'à l'âge de huit semaines au moins. Il doit être totalement sevré et correctement socialisé pour ne plus craindre les hommes et la plupart des autres animaux. Certains éleveurs préfèrent attendre que leurs chatons aient douze semaines avant de les faire adopter – ils sont alors parfaitement propres et ont reçu leurs premières vaccinations.

Conseil

Certains chats sont naturellement calmes et attachés à leurs habitudes, d'autres extravertis et facétieux. Vous pouvez rencontrer les deux au sein d'une même portée. Un chat craintif et sensible n'a pas sa place dans une famille avec de jeunes enfants et d'autres animaux familiers, où il y a toujours du bruit et du mouvement, tandis qu'un chat démonstratif et espiègle peut être un peu trop remuant pour un foyer paisible.

Si vous avez un ami ou un voisin dont la chatte vient de mettre bas et qui cherche à faire adopter les chatons, c'est peut-être une occasion à ne pas rater – vous connaîtrez la mère et saurez si elle se porte bien et a bon caractère.

Des expositions félines sont organisées régulièrement dans de nombreux pays et peuvent durer un ou deux jours. L'entrée pour les visiteurs n'est pas chère et les éleveurs qui exposent leurs animaux figurent normalement dans le catalogue de l'exposition.

Le meilleur moyen d'acquérir un chat ?

Chaque possibilité possède ses avantages et ses inconvénients, et mérite, par conséquent, d'être étudiée de près.

Les éleveurs

Si vous vous adressez à un éleveur pour acquérir un chaton (de race ou non), il est préférable de choisir votre animal sur place parmi tous ceux de la même portée. Préférez un chaton qui semble bien portant [voir p. 28], sociable, vif et affectueux, et qui n'a pas peur de vous. N'acquérez pas un animal qui ne semble pas dans son assiette [voir p. 29], si mignon soit-il : vous vous épargnerez bien des soucis futurs. Prenez votre temps et, si vous ne trouvez pas votre bonheur chez cet éleveur, allez en voir un autre.

COMBIEN COÛTE UN CHAT ?

SOURCE	COÛT
Éleveur de chats	• Les prix sont très variables selon la race et les qualités particulières du chat.
Refuge/fondation	• Il vous sera demandé une participation aux frais de stérilisation et de vaccination.
Dans la nature	• Le chat errant ne coûte rien, évidemment.
Animalerie	• Les prix varient : les chats de race sont plus chers que les chats sans pedigree.
Amis ou famille	• Les chatons ou les chats adultes sans pedigree sont généralement donnés à un « bon maître potentiel » ; les prix des chats croisés ou de race varient selon les propriétaires et les raisons pour lesquelles ils se séparent de leurs animaux.

Si vous trouvez un chat errant, renseignez-vous avant de le prendre chez vous pour vérifier qu'il n'appartient vraiment à personne. De nombreux chats s'éloignent de leur domicile en explorant leur territoire et les plus sociables se laisseront volontiers offrir un bon repas et quelques marques d'affection, si bien nourris et entourés qu'ils soient par leur famille. Les chats âgés risquent d'être pris pour des chats errants, car ils ont un poil ébouriffé qui semble mal entretenu.

Il est parfois possible d'acquérir un chat de race adulte auprès d'un éleveur qui n'en a plus besoin comme reproducteur, ou des chatons issus d'accouplements accidentels et inadaptés à un programme d'élevage. Ces chats ont souvent été opérés pour éviter qu'ils ne se reproduisent.

Les amis ou la famille

N'hésitez pas à opter pour un chat adulte si vous n'avez pas beaucoup de temps à consacrer à l'éducation d'un chaton, en particulier si un membre de votre famille ou l'un de vos amis vous offre un animal parfaitement éduqué.

Question habituelle

Q Nous voudrions un chat à pedigree, mais ne savons pas quelle race choisir. Sans faire le tour de tous les éleveurs, comment pouvons-nous nous renseigner sur les différentes races et savoir précisément à quoi elles ressemblent ?

R N'hésitez pas à visiter une exposition féline où sont regroupés des chats de tous âges, de toutes races et variétés et de toutes couleurs de robe. Vous verrez alors comment un chaton de telle ou telle race peut devenir à l'âge adulte et pourrez glaner toutes sortes d'informations sur les variétés qui vous séduisent le plus. Les expositions sont annoncées dans les revues spécialisées. Et si vous ne pouvez pas visiter une exposition, procurez-vous un ouvrage bien documenté sur les différentes races félines. Une fois que vous aurez fait votre choix, contactez les fédérations ou les clubs affiliés (leurs coordonnées figurent dans les revues spécialisées) pour connaître les éleveurs de la race élue.

Le saviez-vous ?

Les chatons ne sont pas toujours disponibles toute l'année. Il y a moins de naissances à la fin de l'hiver qu'au printemps et en été.

Même si vous n'avez pas beaucoup d'années à vivre ensemble, un chat âgé peut encore vous apporter beaucoup d'affection et une précieuse compagnie. Alors ne délaissez pas les « seniors », trop nombreux dans les refuges à chercher une bonne maison où passer leurs vieux jours.

Les refuges ou fondations pour animaux

Si vous décidez de prendre un chat dans un refuge ou une fondation, essayez de vous renseigner sur lui auprès du personnel. Certains chats peuvent ne pas être propres s'ils ont passé leur vie à errer et avoir du mal à s'intégrer dans un environnement domestique. Si l'âge d'un animal est inconnu, il n'existe aucun signe fiable pour le déterminer avec précision.

Les chats errants

Un chat peut entrer tout simplement dans une maison où il est le bienvenu, ou donner l'impression d'avoir été abandonné. Or quelqu'un, quelque part, souffre peut-être de la disparition de son animal préféré. N'hésitez pas à tout mettre en œuvre pour le retrouver en informant les autorités locales et les refuges les plus proches, par des annonces (« Trouvé chat… ») dans les magasins et les cliniques vétérinaires du quartier, et en demandant à un vétérinaire de vérifier si l'animal ne possède pas une puce électronique. Une fois que vous aurez confirmation qu'il s'agit bien d'un chat errant, faites-le examiner par le vétérinaire pour savoir s'il est en bonne santé et pour le stériliser si nécessaire.

Les animaleries

Acheter un chat dans une animalerie est souvent risqué, alors soyez particulièrement vigilant. Regardez si les animaux sont bien entretenus, ont suffisamment d'espace, de nourriture et d'eau et semblent en bonne santé. Si les chats sont trop nombreux dans un environnement qui laisse à désirer et si vous constatez une rotation des « stocks » incessante, les risques d'infection sont bien présents mais peuvent ne se manifester qu'une fois l'animal ramené à la maison.

Fait félin

Si vous choisissez votre compagnon dans un refuge, vous serez satisfait, non seulement d'avoir trouvé le chat que vous souhaitiez, mais aussi de savoir que vous avez probablement sauvé une vie – la plupart des animaux qui n'ont pas été adoptés étant piqués. Les chats d'un certain âge trouvent plus difficilement un foyer que les chatons et les jeunes adultes, alors, s'il vous faut un animal paisible, pensez à eux.

Signes indiquant un chat en bonne santé

Vivacité mais absence d'agitation • Aisance dans les mouvements • Poids normal

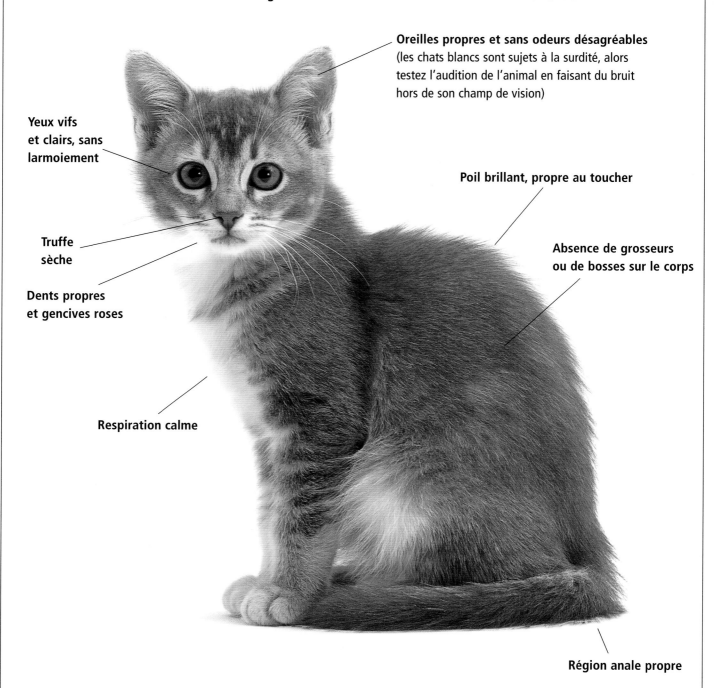

Oreilles propres et sans odeurs désagréables
(les chats blancs sont sujets à la surdité, alors testez l'audition de l'animal en faisant du bruit hors de son champ de vision)

Yeux vifs et clairs, sans larmoiement

Poil brillant, propre au toucher

Truffe sèche

Absence de grosseurs ou de bosses sur le corps

Dents propres et gencives roses

Respiration calme

Région anale propre

Signes indiquant un chat en mauvaise santé

Torpeur, abattement • Irritabilité et coups de griffes constants • Poids anormal

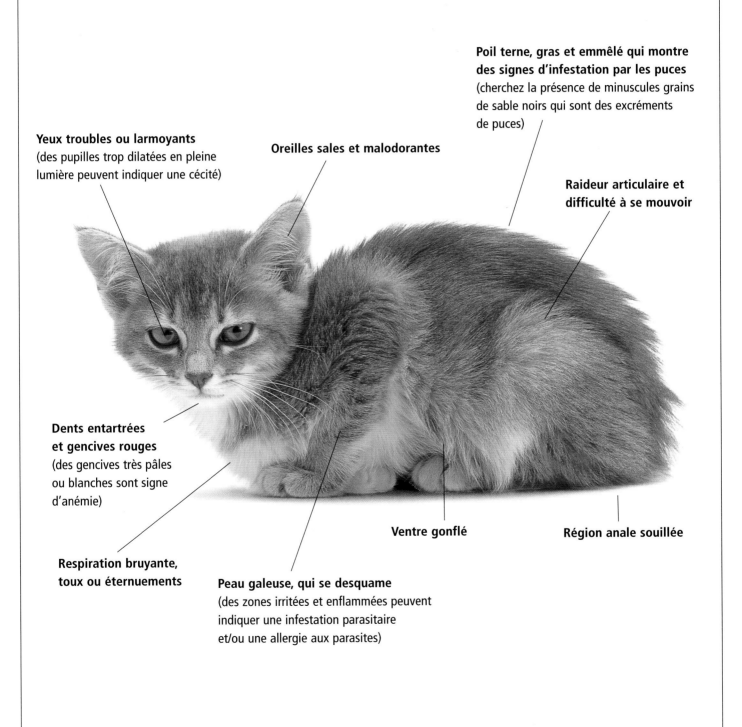

Poil terne, gras et emmêlé qui montre des signes d'infestation par les puces (cherchez la présence de minuscules grains de sable noirs qui sont des excréments de puces)

Yeux troubles ou larmoyants (des pupilles trop dilatées en pleine lumière peuvent indiquer une cécité)

Oreilles sales et malodorantes

Raideur articulaire et difficulté à se mouvoir

Dents entartrées et gencives rouges (des gencives très pâles ou blanches sont signe d'anémie)

Ventre gonflé

Région anale souillée

Respiration bruyante, toux ou éternuements

Peau galeuse, qui se desquame (des zones irritées et enflammées peuvent indiquer une infestation parasitaire et/ou une allergie aux parasites)

L'équipement de base

La multitude des produits et articles pour chats vendus dans le commerce – la plupart présentés comme absolument indispensables, bien sûr – peut dérouter un nouveau ou un futur propriétaire. Ils ne sont pas tous nécessaires, loin de là. Si votre chat est bien au chaud dans un endroit où il peut se reposer confortablement, en toute sécurité et sans être dérangé, s'il est bien nourri, s'il a toujours à sa disposition de l'eau fraîche, un espace adapté pour faire ses besoins et quelques jouets, il sera parfaitement heureux.

L'équipement de base dont vous aurez besoin est assez limité et peu coûteux. Les produits et articles indispensables figurent dans la liste ci-contre. Bien sûr, libre à vous d'en ajouter si vous le désirez.

Critères

✔ deux écuelles – pour manger et pour boire
✔ un bac à litière et de la litière
✔ un couchage
✔ des jouets
✔ une trousse de secours [voir pp. 157-158]
✔ un collier et une médaille
✔ un panier ou une cage de transport
✔ un griffoir

Les écuelles

Votre chat doit avoir deux écuelles – l'une pour l'eau et l'autre pour la nourriture [voir p. 42] – placées sur une carpette ou une feuille de papier journal au cas où il les renverserait. Vous pouvez lui acheter un distributeur automatique de nourriture et choisir ainsi le nombre de repas, l'heure et la quantité de croquettes ou d'aliments humides de chacun des repas.

Le bac à litière et la litière

Un bac est indispensable, même si votre chat a la possibilité de faire ses besoins dehors. Il en existe deux types – avec ou sans couvercle. Les bacs couverts, en forme de boîte, évitent que le chat ne projette sa litière partout, limitent la diffusion des odeurs et offrent une plus grande intimité à l'animal. Cependant, certains chats n'aiment pas être enfermés et n'utilisent que des bacs simples.

Choisissez un bac suffisamment grand et profond, car ces petits félins aiment pouvoir enfouir totalement leurs déjections sans se salir les pattes. Couvrez le fond du récipient de papier journal, ce qui facilitera son nettoyage, et posez-le sur une feuille de journal ou un morceau de plastique pour éliminer ensuite plus facilement la litière répandue à côté.

Les différentes litières (dans le sens des aiguilles d'une montre en partant du haut) : litière à base d'argile (bentonite ou sépiolite), litière à base de craie fine et de sable de quartz, litière à base de bois de pin.

LITIÈRE	AVANTAGES	INCONVÉNIENTS
Papier journal	• Bon marché. • Facile à trouver.	• Peu absorbant. • L'encre peut déteindre sur les pattes du chat, tachant le sol et le mobilier, ou être avalée par le chat qui se lèche et le rendre malade. • Tous les journaux seront considérés par le chat comme autant d'endroits pour faire ses besoins.
Litière à base de rafles de maïs	• Très légère. • Assez absorbante. • Biodégradable et donc écologique. • Ne tache pas.	• Coûteuse. • Peu distribuée.
Litière parfumée	• Aide à masquer les odeurs.	• Plus chère que les autres. • Peut sentir trop fort. • Incite à ne pas nettoyer le bac aussi souvent qu'il le faudrait. • Les parfums chimiques peuvent irriter le système respiratoire du chat et ses coussinets.
Litière en bouchons à base de bois de pin	• Absorbe l'humidité et les odeurs. • Ne tache pas. • Légère à porter.	• Coûteuse. • Peu distribuée.
Terre du jardin	• Gratuite. • Facile à trouver.	• Peut contenir insectes et autres petites bestioles. • Tache le poil et laisse des traces dans la maison • Lourde à porter.
Litière en billes à base de cristaux de silice	• Absorbe l'urine comme une éponge. • Élimine toutes les odeurs du bac. • Facile d'entretien : il suffit de retirer les déjections tous les jours et de changer la litière tous les mois. • Ne tache pas. • Légère à porter.	• Coûteuse. • Difficile à ramasser autour du bac : les billes roulent.
Litière agglomérée à base d'argile	• Très absorbante. • Économique. • Facile d'entretien : seules les déjections et les boulettes qui se forment au contact de l'urine sont à éliminer.	• Lourde à porter. • Assez coûteuse.

Débarrassez-vous de la litière usagée en l'enveloppant dans du papier journal ou en la mettant dans un sac poubelle biodégradable. Jetez-la ensuite avec vos propres ordures et non dans les toilettes, car vous risquez de les boucher. Renseignez-vous auprès de votre vétérinaire pour savoir comment vous débarrasser des déjections de votre chat s'il reçoit une radiothérapie.

Le logement et le couchage

Il existe de nombreux endroits où votre chat peut dormir en étant parfaitement isolé [voir tableau page ci-contre] – sur une couverture, une étoffe de laine polaire, un coussin ou un vieil oreiller. N'oubliez pas de laver régulièrement son couchage pour ôter les saletés et empêcher les puces de proliférer.

Votre chat saura apprécier un « nid » chaud et douillet pour se mettre en boule.

COUCHAGE	AVANTAGES	INCONVÉNIENTS
Boîte en carton	• Bon marché. • Facile à trouver. • Assez haute, elle protège des courants d'air.	• Doit être remplacée régulièrement. • Nécessite un couchage douillet à l'intérieur.
Boîte en plastique	• Bon marché. • Hygiénique. • Facile à nettoyer. • Assez haute, elle protège des courants d'air.	• Nécessite un couchage confortable à l'intérieur.
Corbeille en osier	• D'apparence séduisante.	• Assez chère. • Expose le chat aux courants d'air. • « Nid » à poussière et à poils. • Le chat y fait ses griffes. • Nécessite un couchage douillet à l'intérieur.
Panier en tissu rembourré ou en tissu synthétique	• Confortable. • Pas besoin de couchage à l'intérieur.	• Doit être souvent lavé pour éviter les puces. • Peut être difficile à laver et à sécher. • Assez cher.
Tipi ou panier « igloo »	• Les chats s'y sentent en sécurité. • Protège des courants d'air. • Pas besoin de couchage à l'intérieur s'il est matelassé.	• Peut être difficile à laver et à sécher. • Assez cher. • Certains chats n'aiment pas se sentir « enfermés ».
Hamac de radiateur	• Tient peu de place. • Tient chaud (pour chats très jeunes, âgés, malades ou sans poil). • Sentiment de sécurité en hauteur.	• Les chats qui ont des difficultés à se mouvoir peinent à y accéder. • Peut loger des puces s'il n'est pas lavé régulièrement.
« Niche » en polystyrène	• Confortable. • Chaud. • La préférée des chats.	• Housse difficile à nettoyer sans endommager la structure en polystyrène. • Structure en polystyrène difficile à remettre en place après nettoyage.

Le tipi donne au chat un sentiment d'intimité et de sécurité, surtout s'il y a beaucoup de mouvement autour de lui.

Les jouets

Jouez avec votre chat : vous y prendrez tous les deux un plaisir énorme. Ce sont les chatons qui sont les plus joueurs, mais s'ils apprennent à s'amuser tout petits, ils continueront à l'âge adulte. Faites bouger les jouets pour imiter le comportement d'une proie : votre chat s'amusera davantage et vous y trouverez un plus grand intérêt. Des mouvements rapides au sol, d'un côté puis de l'autre, attireront davantage son attention que des mouvements verticaux. Les jouets qui se

Vous trouverez dans le commerce une très grande variété de jouets pour chats, qui imitent le comportement d'une proie si vous les faites rouler, les agitez, les suspendez ou les traînez par terre.

Certains chats, comme les Siamois, peuvent apprendre à marcher en laisse. Pour cela, il vous faut un harnais et une laisse spécialement conçus pour les chats. Il en existe plusieurs sortes dans le commerce, des plus simples aux plus recherchés et de toutes les couleurs, mais l'essentiel est que le harnais soit confortable pour l'animal et la laisse suffisamment longue pour ne pas gêner vos mouvements à tous les deux.

déplacent de façon imprévisible ou très vite, puis s'immobilisent, ne tarderont pas à être « chassés » par le chat. De nombreux jouets sont garnis à l'intérieur d'herbe-aux-chats, une plante dont ces petits félins raffolent.

Le collier et la médaille

L'idéal serait que votre chat porte un collier réfléchissant ou fluorescent, pourvu d'une médaille et d'une clochette pour alerter les petits rongeurs et les oiseaux de sa présence. Il existe toutes sortes de colliers, mais choisissez-en un avec un élastique de sécurité, qui se détend si l'animal s'accroche à une branche d'arbre, par exemple, ce qui lui évite de s'étrangler.

Vous devez pouvoir glisser deux doigts entre le cou de l'animal et son collier. Vérifiez régulièrement que le collier n'est pas usé ni devenu trop petit.

Le panier ou la cage

Comment transporter votre chat chez le vétérinaire ? Les cartons sont bon marché et conviennent à un usage occasionnel, mais ne résistent pas aux chats trop remuants ni à l'humidité.

Les paniers en fibres de verre s'ouvrent généralement par-devant, protègent le chat des courants d'air, sont sûrs, relativement légers et faciles à nettoyer, tandis que les cages en grillage plastifié s'ouvrent le plus souvent par le haut – ce qui est plus commode pour faire sortir l'animal – et conviennent aux chats qui n'aiment pas se sentir enfermés.

Les paniers en osier sont jolis, mais difficiles à nettoyer et moins résistants. Choisissez un panier ou une cage facile à manier et à porter une fois le chat à l'intérieur, et vérifiez son système de fermeture pour éviter toute fuite de l'animal.

Le griffoir

Tous les chats ont un besoin inné de faire leurs griffes pour les garder en bon état. Si vous ne donnez pas quelque chose – un griffoir, par exemple – à votre animal pour qu'il puisse faire ses griffes à volonté, il abîmera votre mobilier. Incitez-le à prendre l'habitude de faire ses griffes sur le griffoir en frottant l'objet avec de l'herbe-aux-chats (écrasez un peu d'herbe fraîche dans vos mains, puis frottez-en le poteau).

Vérifiez la stabilité du griffoir lorsque le chat l'utilise.

Les cages en grillage plastifié sont disponibles en plusieurs tailles. Les plus grandes sont préférables si vous avez au moins deux chats à transporter.

Conseil

Si votre chat a un bras de fauteuil ou de canapé préféré pour faire ses griffes, pensez à conserver cet élément lorsque vous remplacerez votre mobilier, pour en faire un griffoir. Ainsi, votre animal n'abîmera pas le nouveau fauteuil ou canapé de la maison.

La cage d'intérieur

Même si une cage d'intérieur (ou cage à chatons) n'est pas absolument indispensable, elle peut se révéler extrêmement utile. Celles destinées aux chiots sont plus spacieuses. La cage offre un lieu sûr au chaton en période d'adaptation à son nouveau foyer et facilite l'acceptation du nouveau venu par les autres animaux domestiques. Si vous n'êtes pas là pour surveiller vos chatons, mettez-les dans cette cage pour les protéger des fils électriques ou d'autres dangers domestiques.

La cage d'intérieur doit être suffisamment spacieuse pour permettre à l'animal de circuler librement et contenir ses jouets, son bac à litière et ses écuelles. Si vous n'avez besoin d'une cage à chatons que pour une courte période, vous pouvez en louer une chez un vétérinaire ou un éleveur.

Certaines chatières peuvent être installées dans des murs en brique, ce qui est pratique si vous ne voulez pas intégrer cet accessoire à une porte ou à une fenêtre.

La chatière

Une chatière installée dans une porte d'entrée ou une fenêtre permettra à votre chat d'entrer et de sortir à volonté. Il existe différents modèles, dont les chatières électromagnétiques qui laissent passer uniquement le chat portant un petit aimant ou un badge d'identification à son collier. Installez la chatière suffisamment près du sol pour que votre chat puisse l'utiliser facilement et assez loin de la poignée pour empêcher les voleurs d'ouvrir la porte ou la fenêtre par l'intérieur et de s'introduire chez vous.

Les traitements antiparasitaires

Vous devrez traiter régulièrement votre chat contre les parasites internes et externes. Les meilleurs produits ne sont disponibles que chez les vétérinaires, mais leur efficacité – et bien qu'ils coûtent un peu plus cher – justifie qu'on les préfère aux produits vendus dans les magasins. Reportez-vous à la page 138 pour de plus amples renseignements à ce sujet.

Conseil

N'utilisez pas un collier antipuces en même temps que d'autres traitements antipuces, car vous risquez de provoquer un surdosage et d'intoxiquer votre animal.

Si votre chat se gratte constamment, examinez son poil à la recherche de certains signes révélateurs de la présence de puces. Les puces provoquant toutes sortes de désagréments, vous devez absolument utiliser les traitements adaptés disponibles chez votre vétérinaire pour les éliminer sur votre animal, et dans toute la maison si nécessaire.

Nourrir votre chat

Offrir à votre chat des repas quotidiens équilibrés et des rations alimentaires adaptées est indispensable pour le maintenir en bonne santé. De nos jours, l'industrie des aliments pour animaux est florissante et propose une large gamme d'aliments pour chats – dont la plupart font l'objet d'une politique commerciale agressive. Difficile, dans ces conditions, de savoir si telle ou telle marque est meilleure qu'une autre. Toujours est-il que les substances nutritives figurant dans la liste ci-contre sont absolument indispensables au chat. Prendre en compte ces besoins nutritionnels fondamentaux, ainsi que l'âge, l'état de santé et le mode de vie de votre animal, vous aidera à choisir plus facilement les aliments les mieux adaptés.

Critères

- ✔ vitamine A
- ✔ vitamines B
- ✔ vitamines D
- ✔ vitamine E
- ✔ calcium
- ✔ phosphore
- ✔ vitamine B9 ou acide folique
- ✔ vitamine PP ou B3 (nicotinamide)
- ✔ protides et leurs acides aminés (taurine)
- ✔ lipides
- ✔ fibres
- ✔ eau
- ✔ iode

Les chats sont carnivores et c'est dans la viande, et d'autres aliments similaires comme le poisson, qu'ils trouvent les principes nutritifs indispensables à leur santé. Ils ne peuvent pas subsister avec une nourriture pauvre en protéines. Aussi ont-ils besoin d'une ration quotidienne de viande (ou d'autres sources de protides) relativement importante par rapport à leur taille. Dans la nature, le chat chasse, tue sa proie, la mange, puis se repose. Il peut avaler un lapin entier ou plusieurs souris et oiseaux en une seule journée et rester sans manger les deux ou trois jours suivants. Le chat domestique adulte mange généralement une fois par jour, mais vous pouvez fractionner sa ration quotidienne en deux repas pour multiplier les moments de complicité avec lui et lui permettre de rompre un peu l'ennui. Surtout, ne donnez jamais à votre chat de la nourriture pour chiens – elle est conçue pour couvrir les besoins nutritionnels des canidés et non des félidés.

Les substances nutritives indispensables

Les excès en certains nutriments (hypervitaminoses, par exemple) sont aussi mauvais pour la santé que les carences (avitaminose). Les aliments tout préparés du commerce, à condition qu'ils soient de qualité, sont préférables à une nourriture « maison » qui ne couvre pas forcément tous les besoins nutritionnels du chat. Par exemple, un reste de viande cuite est pauvre en calcium, en vitamine A et en iode, carences risquant d'entraîner de l'ostéoporose (fragilité osseuse). Quant à une nourriture riche en foie, elle peut provoquer une hypervitaminose A, propice au développement d'excroissances osseuses autour des articulations et de la colonne vertébrale, qui rendent les mouvements de l'animal douloureux.

Les hydrates de carbone ou glucides

Même s'ils peuvent digérer et assimiler les hydrates de carbone cuits, les chats n'en ont pas besoin pour leur santé, une alimentation riche en protéines leur fournissant toute l'énergie nécessaire. Toutefois, certains aliments, comme les flocons de céréales, peuvent constituer une source d'énergie valable.

Les vitamines

Un apport élevé en vitamine A est nécessaire pour assurer le bon fonctionnement des cellules du corps. Les vitamines du groupe B jouent un rôle important dans le maintien de l'équilibre nerveux. La vitamine D aide l'organisme à produire du calcium, élément essentiel à la bonne santé des os et des dents.

L'herbe

Les chats mangent de l'herbe pour leur teneur en acide folique et pour leur action émétique (qui provoque le vomissement). Ils débarrassent ainsi leur estomac des boules de poils, des vers et d'autres causes de troubles digestifs.

Le phosphore est également nécessaire à des os solides, tandis que la vitamine E assure la protection des cellules. La vitamine PP intervient dans le métabolisme cellulaire. Quant à la vitamine C (indispensable à la santé du tissu conjonctif et de la peau), l'organisme du chat en produit lui-même. Inutile, donc, de lui en donner dans son alimentation.

Les protides ou protéines

Les protéines présentes dans la viande aident à la construction des tissus, réparent les lésions et fabriquent les hormones. Elles fournissent également au chat les acides aminés essentiels que son organisme est incapable de fabriquer, dont la taurine. Une carence en taurine peut provoquer troubles visuels, stérilité et maladies cardiaques.

Les lipides ou graisses

Les graisses alimentaires représentent une source d'énergie concentrée et fournissent les acides gras essentiels assurant le bon fonctionnement général de l'organisme.

Les fibres

Une carence en fibres peut provoquer, surtout chez les chats âgés et inactifs, une constipation et d'autres troubles digestifs liés à une paresse intestinale. Les légumes cuits et les céréales constituent une bonne source de fibres.

Les aliments industriels pour chats adultes et chatons sont humides, demi-secs ou secs (de haut en bas). Essayez-les tous pour connaître les préférences de votre chat et voir avec lesquels il se porte le mieux, mais évitez de lui donner exclusivement des croquettes.

Les différents aliments industriels

Les aliments industriels de bonne qualité sont faciles à utiliser et renferment tous les principes nutritifs nécessaires, idéalement dosés, dont des vitamines et des minéraux. Une nourriture maison à base de viande fraîche ou cuite et de restes culinaires risque, au contraire, de provoquer des carences. Il existe trois sortes d'aliments industriels.

Les aliments humides (boîtes)

Possédant une teneur en eau élevée et offrant un large choix de saveurs, les aliments humides ont généralement la préférence des chats.

Les aliments demi-secs (sachets)

Contenant souvent des protéines végétales comme le soja, ces aliments renferment moins d'eau que les aliments humides, ce qui leur permet de se conserver sans se dessécher ni perdre leur saveur.

Les aliments secs (croquettes)

Les aliments secs renferment très peu d'eau. Votre chat aura donc besoin de boire beaucoup. Grâce à leur texture dure et croquante, les croquettes limitent les dépôts de tartre sur les dents du chat, l'aidant à garder une dentition saine. Cependant, une alimentation exclusivement à base d'aliments secs est déconseillée car certains chats, qui ne peuvent plus s'en passer, finissent par avoir des problèmes urinaires.

Question habituelle

Q J'ai entendu dire que les croquettes pouvaient provoquer la formation de calculs dans la vessie, donc des problèmes urinaires. Est-ce vrai ?

R Les aliments secs avaient mauvaise réputation à leurs débuts, car ils étaient tenus pour responsables d'une maladie appelée « syndrome urologique félin » (SUF) qui touchait le plus souvent les chats sédentaires, nourris exclusivement de croquettes et buvant peu. L'animal s'efforçait alors d'uriner, mais en vain, en raison de cristaux descendus de la vessie vers l'urètre et bloquant la miction partiellement ou totalement. La formulation des aliments secs a donc été modifiée. Quoique ce type de nourriture industrielle soit aujourd'hui largement commercialisé, il est préférable de choisir des marques de qualité, offrant une formule équilibrée, et d'alterner régulièrement aliments secs et aliments humides. Et veillez à ce que votre chat ait toujours de l'eau fraîche à sa disposition.

Combien de repas par jour ?

À chaque âge son nombre de repas [voir tableau ci-dessous].

Si vous nourrissez votre chat dehors, choisissez un endroit où aucun autre animal ne puisse venir le déranger.

Chaton	Le chaton cesse généralement de téter sa mère pour passer à une nourriture solide à l'âge de huit semaines ; un sevrage progressif se met en place à quatre ou cinq semaines. Après, vous devez lui donner des aliments pour chatons, qui contiennent tous les nutriments essentiels sous une forme particulièrement digestible et assimilable. Un chaton nourri correctement a tout pour devenir un adulte en parfaite santé.
Du sevrage à 12 semaines	Cinq petits repas par jour, chacun de 15 à 20 grammes environ.
De 12 à 20 semaines	Quatre repas par jour.
De 20 à 30 semaines	Trois repas par jour.
De 30 semaines à 12 mois (jeune chat)	Réduire progressivement à deux repas par jour.
De 12 mois à 8 ans (adulte)	Un ou deux repas par jour.
À partir de 8 ans (chat âgé)	Un ou deux repas par jour, mais deux ou trois sont parfois nécessaires selon l'état de santé du chat.

LES BESOINS EN FONCTION DE L'ÂGE ET DU POIDS

Âge	Poids	Ration quotidienne	Nombre de repas/jour
Nouveau-né	120 g	28 g	10
5 semaines	450 g	85 g	5
10 semaines	900 g	140 g	4 ou 5
20 semaines	2 kg	170 g	4
30 semaines	3 kg	200 g	3
Adulte stérilisé	4 kg	185 g	1
Mâle adulte non castré	4,5 kg	240 g	1
Femelle en gestation	3,4 kg	240 g	2 ou 3
Femelle en lactation	2,5 kg	400 g	4

Quand nourrir son chat ?

La plupart des maîtres nourrissent leur chat le matin ou le soir, parfois soir et matin, selon l'âge ou les préférences de l'animal. Certains chats mangent peu mais souvent, d'autres préfèrent avaler leur ration quotidienne en une fois. Essayez d'inciter votre petit carnivore à prendre son repas d'une traite pour éviter de laisser traîner la nourriture toute la journée. Les aliments humides, en particulier, se gâtent rapidement et vous n'avez plus qu'à jeter les restes si votre chat n'a pas tout mangé. Vous saurez vite quelle quantité de nourriture votre animal avale en un repas, ce qui vous permettra de fractionner correctement sa ration quotidienne.

L'obésité féline représentant un problème de santé très répandu actuellement, vous devez absolument respecter les

Choisissez une écuelle à fond plat, antidérapante et difficile à renverser. Elle ne doit être ni trop ni trop peu profonde : l'animal doit pouvoir y manger et y boire confortablement sans en mettre à côté. Sa facilité d'entretien compte également. Elle peut être en acier inoxydable, en céramique ou en plastique (de gauche à droite). Débarrassez-vous d'une écuelle usée ou abîmée, qui risque de loger des bactéries et de blesser votre chat.

recommandations du fabricant ou de votre vétérinaire sur la ration quotidienne à donner à votre chat. Les friandises doivent y être comptabilisées. L'obésité peut entraîner toutes sortes de troubles de santé et réduire considérablement l'espérance de vie de votre compagnon.

L'eau, élément vital

Certains chats détestent que leur eau de boisson soit dure (c'est-à-dire à forte teneur en sels minéraux, comme le prouvent les dépôts de calcaire dans les casseroles et la bouilloire) et ne boivent donc pas autant qu'ils le devraient. Si c'est le cas du vôtre, essayez de lui donner de l'eau filtrée ou, si vous pouvez vous en procurer, de l'eau douce, non calcaire. L'eau minérale en bouteille, également trop riche en minéraux, est à éviter.

La cuisine « maison »

Nombreux sont les chats à apprécier la cuisine de leur maître, mais il est très difficile de leur offrir une alimentation maison parfaitement équilibrée. Un complément en vitamines et minéraux est alors nécessaire – demandez conseil à votre vétérinaire. Il est plus commode (surtout si vous menez une vie bien remplie) de nourrir régulièrement votre animal

Conseil

Les chats sont nombreux à aimer le chocolat. Or, cet aliment peut les rendre très malades, voire entraîner leur mort. Alors ne leur en donnez pas comme friandise. En revanche, vous pouvez leur donner des friandises pour chats à la levure ou à l'herbe à chat.

avec des aliments industriels et de ne recourir qu'occasionnellement à la cuisine préparée à la maison pour lui faire plaisir sans doute, mais aussi pour le mettre en appétit s'il est malade et a perdu l'appétit. N'oubliez jamais de laisser refroidir des aliments cuits avant de les servir à votre chat. Le lapin, la volaille, le poisson et les œufs brouillés sont souvent fort appréciés de nos petits félins, mais veillez à retirer préalablement les os et les arêtes.

Une alimentation variée

Il est possible d'associer cuisine maison et aliments industriels pour offrir au chat le meilleur des deux. Une alimentation

CI-DESSUS *La cuisine maison peut être fort appréciée par votre chat, mais elle ne lui apporte pas toujours l'équilibre nutritionnel dont il a besoin.*

CI-CONTRE *L'eau est un élément vital et votre chat doit toujours avoir de l'eau fraîche à sa disposition. Changez-la tous les jours et lavez régulièrement l'écuelle à l'eau claire (évitez les détergents, trop corrosifs), sinon la salive du chat risque de la rendre visqueuse.*

Le saviez-vous ?

Le lait de vache est très riche en lactose (sucre du lait) et certains chats le digèrent difficilement, ce qui leur provoque des diarrhées. D'autres sont allergiques à la protéine contenue dans ce type de lait. Alors préférez le lait spécialement conçu pour les chats (vendu dans les animaleries), à teneur réduite en lactose mais aussi riche en calcium, un élément indispensable à la bonne santé des os et des dents.

variée permet de satisfaire les chats les plus difficiles et de les rendre heureux de manger, donc de vivre.

Les « menus » adaptés à un chat adulte en bonne santé, qui a besoin de 1 400 à 1 800 calories par semaine, peuvent être très variés. Le tableau ci-dessous vous propose un exemple d'alimentation variée sur cinq semaines (sans oublier l'eau fraîche qui doit être disponible en permanence). Au bout de cinq semaines vous pouvez reprendre le menu de la première semaine et ainsi de suite.

MENUS VARIÉS SUR CINQ SEMAINES

	Rations hebdomadaires (à fractionner en repas quotidiens)
1ʳᵉ semaine	7 petites boîtes ou sachets d'aliments humides ou demi-secs + 600 ml de lait pour chat.
2ᵉ semaine	450 g d'aliments secs + 300 ml de lait pour chat.
3ᵉ semaine	900 g de lapin cuit + 225 g de foie cuit + 450 ml de lait pour chat.
4ᵉ semaine	450 g de bœuf + 450 g d'abats (rate) + 225 g de poisson gras + 300 ml de lait pour chat.
5ᵉ semaine	4 boîtes ou sachets d'aliments humides ou demi-secs + 115 g d'aliments secs + 225 g de poisson blanc + 450 ml de lait pour chat.

CONSEILS ALIMENTAIRES

- Nourrissez votre chat tous les jours au même endroit et à la même heure.
- Posez un morceau de plastique ou du papier journal sous les écuelles, car la plupart des chats aiment bien retirer leur nourriture de leur gamelle avec leur patte et manger à même le sol.
- Ne dérangez pas un chat qui mange.
- Laissez les aliments humides ou demi-secs dans l'écuelle de votre chat au moins une heure avant de jeter les restes, car la plupart de ces félins mangent lentement.
- Les changements de régime doivent se faire progressivement pour prévenir les désordres digestifs.
- Ne donnez jamais à votre chat des aliments épicés ou contenant de l'alcool.
- Pour éviter que votre chat s'étrangle, retirez préalablement les os de la viande ou les arêtes de poisson.
- Mettez toujours de l'eau propre et fraîche à sa disposition.
- Ne lui donnez pas de lait de vache, mais du lait de chèvre ou du lait spécialement conçu pour les chats.
- Veillez à ce que ses écuelles soient toujours propres.
- Ne laissez jamais votre chat manger du chocolat destiné à la consommation humaine.
- Consultez votre vétérinaire si votre animal répugne à manger ou à boire.

CONSEILS D'HYGIÈNE ALIMENTAIRE

- Les chats préférant les aliments à température ambiante, sortez-les du réfrigérateur suffisamment à l'avance.
- Les boîtes se gâtent rapidement une fois ouvertes, alors mettez-les au réfrigérateur et utilisez-les dans les 24 heures, en veillant au préalable à transvaser les restes dans des récipients alimentaires en céramique, en acier inoxydable ou en plastique, pour éviter la contamination liée aux boîtes en fer-blanc.
- Posez les écuelles à distance du bac à litière.
- Les désinfectants et les détergents ménagers peuvent dégrader les écuelles de votre chat et leur odeur repousser l'animal, alors utilisez de l'eau salée (une cuillère à café de sel pour un demi-litre d'eau) ou des nettoyants spéciaux vendus dans les animaleries, puis rincez soigneusement les récipients sous l'eau du robinet. Les écuelles doivent être lavées tous les jours, les chats étant très exigeants sur la propreté – et ayant raison de l'être, car leur bonne santé en dépend.
- Lavez les écuelles de votre chat et les ustensiles avec lesquels vous avez préparé son repas séparément de votre vaisselle.
- Si vous utilisez des aliments demi-secs, refermez hermétiquement le sachet pour préserver sa fraîcheur jusqu'au prochain repas.

Compter les calories

La valeur énergétique des aliments se mesure en unités appelées calories. Chaque jour, un chat en bonne santé a besoin d'un nombre de calories égal à celui que son organisme dépense. Si cet équilibre est respecté, l'animal reste en forme et garde un poids stable. Un chat sous-alimenté maigrit et sa santé se détériore progressivement, son organisme ayant besoin de puiser dans ses réserves de graisses et de protéines pour compenser les carences alimentaires. Selon son activité, une femelle adulte a besoin de 200 à 250 calories par jour, un mâle adulte de 250 à 300. Les chatons ont besoin de beaucoup de calories proportionnellement à leur poids car ils ont une croissance rapide, des besoins énergétiques plus élevés et sont plus sensibles aux déperditions de chaleur en raison de leur petite taille.

Un environnement adapté

Pour être en bonne santé physique et psychologique, votre chat doit se sentir en sécurité dans son environnement. Si vous voulez avoir l'esprit tranquille et pouvoir profiter pleinement de votre animal, vous devez tout faire pour qu'il soit heureux et à l'abri des dangers. Vous vivrez alors tous les deux un bonheur parfait. Consultez la liste ci-contre pour savoir ce dont votre chat a besoin pour vivre.

Critères

- ✓ un territoire protégé
- ✓ des endroits sûrs et confortables où dormir
- ✓ une atmosphère sécurisante
- ✓ un coin bien à lui au sein du foyer
- ✓ des jouets pour satisfaire son instinct
- ✓ nourriture et eau en quantité suffisante
- ✓ des liens affectifs avec son maître

Le chat qui peut aller et venir à son gré au sein d'un environnement rural et sans danger mène certainement la plus belle vie qui soit, car il est libre d'explorer, de chasser, de jouer et de se reposer à volonté dans un endroit chaud et douillet. Malheureusement, seule une minorité de chats domestiques bénéficient de ces conditions de vie, la plupart n'ayant d'autre choix que de s'adapter au style de vie de leur maître. Mais vous pouvez tenir compte des besoins de votre chat et lui offrir une vie aussi naturelle que possible – dont vous profiterez, vous aussi. Il vous suffit d'effectuer quelques modifications simples mais efficaces dans votre façon de vous occuper de votre animal et dans votre maison.

Laisser son odeur dans la maison : un effet sécurisant

La plupart des maîtres aiment que leur animal soit proche d'eux pour leur tenir compagnie et leur donner de l'affection. Si vous voulez que votre chat se sente parfaitement à l'aise chez vous, équipez votre maison de tout le confort nécessaire. L'animal doit s'y plaire et s'y sentir chez lui.

Le plus important pour ces animaux est de marquer leur territoire avec leur propre odeur : ils la déposent en frottant leur tête (des glandes odorantes sont situées au niveau des tempes et autour des lèvres) contre les objets et les meubles. Les glandes situées entre les doigts de pieds produisent également un marquage odorant lorsque le chat sort ses griffes. Les humains sont incapables de déceler cette odeur, contrairement aux autres chats qui savent ainsi si un territoire est occupé ou non par un congénère.

Entouré de sa propre odeur, le chat se sent davantage en sécurité, à condition que son maître ne soit pas un maniaque du ménage. En effet, les produits d'entretien à forte odeur – désinfectants, encaustique, shampoings à moquette, lotions désodorisantes – et les parfums d'ambiance contribuent à masquer les marquages odorants du chat, alors anxieux de ne pas pouvoir reconnaître à l'odeur son territoire. Il aura même parfois tendance à réagir à ces odeurs indésirables en renforçant ses marquages par des jets d'urine dans toute la maison. Et les odeurs d'urine, elles, ne passent pas inaperçues…

Les escaliers sont un bon moyen pour les chats de se réfugier en hauteur à la moindre alerte. De là, ils peuvent évaluer la situation et décider soit de monter plus haut en cas de danger, soit de redescendre une fois la menace écartée.

La hauteur : un gage de sécurité

Vous pouvez accroître le sentiment de sécurité de votre chat en lui réservant des endroits hauts situés, à l'abri des membres de la famille ou d'un autre animal : il risque moins d'être « attaqué » par surprise en hauteur qu'au niveau du sol. C'est pourquoi le maître retrouve toujours son chat sur la table, le plan de travail de la cuisine, au-dessus des armoires ou des placards, sur les dossiers des fauteuils. Bien sûr, mieux vaut mettre les objets fragiles en lieu sûr.

Un coin bien à lui

Il nous arrive d'avoir besoin de nous retrouver seuls pendant un moment pour nous détendre, réfléchir ou faire un petit somme et nous devenons irritables si quelqu'un empiète sur notre espace personnel ou sur le temps que nous voulions prendre pour nous ressourcer. Le chat est comme nous. Nous devons le laisser tranquille dans son coin. Et comme il considère la maison comme son territoire, il aura du mal à accepter l'arrivée d'un autre animal. Alors si vous envisagez d'acquérir deux chats, achetez-les de préférence en même temps. Ils arriveront ainsi en territoire « neutre » et chacun établira son territoire dans la maison.

Consacrer du temps au jeu

Les chats sont particulièrement en éveil à l'aube et au crépuscule, moments de pénombre où les proies sont plus vulnérables. Vous serez généralement disponible pour votre animal à la tombée de la nuit, mais à l'aurore vous risquez d'être réveillé par votre compagnon qui voudra que vous vous

Changez régulièrement les jouets de votre chat pour prévenir toute lassitude de sa part.

Clôturer une propriété pour empêcher le chat de s'échapper est quasi impossible, à moins de construire une clôture suffisamment haute et résistante sur laquelle le chat ne puisse pas grimper. Mais ces félins sont si agiles que le risque zéro n'existe pas dans ce domaine.

Fait félin

La nuit n'est pas le meilleur moment pour laisser votre chat sortir, en particulier dans une agglomération où il risque d'être aveuglé par les phares des voitures et de se faire renverser.

leviez pour jouer avec lui ou lui donner à manger. Quelques heures de sommeil supplémentaires avant d'aller travailler sont pourtant bien appréciables, n'est-ce pas ? D'où l'intérêt de fixer dès le départ les créneaux que vous pourrez consacrer à votre chat. Il en prendra vite l'habitude et attendra ces moments avec impatience, sans chercher à attirer votre attention lorsque vous ne serez pas disponible. Pour profiter pleinement tous les deux de ces instants privilégiés, procurez-vous toutes sortes de jouets qui amuseront votre félin. Commencez par le faire courir derrière une ficelle traînée par terre et bondir dans tous les sens pour attraper une balle de ping-pong. Ensuite, vous pouvez utiliser des boîtes en carton et des sacs en papier ou fabriquer des tentes en papier journal. Les animaleries proposent également un très large choix de jouets pour chats, adaptés à toutes les bourses.

Les échanges entre le chat et son maître

La sociabilité des chats est variable : ils n'ont pas tous les mêmes besoins de contact et d'échange avec leur maître. Certains sont même trop indépendants et distants au goût de leur propriétaire. Les chats qui ont un besoin limité de contacts sociaux peuvent apprendre à supporter l'attention de leur maître, mais ne l'apprécient jamais vraiment. C'est donc à vous d'accepter et de respecter leur désir de solitude. Bien sûr, vous serez déçu si vous souhaitiez un compagnon démonstratif et affectueux.

En revanche, certains chats recherchent activement la compagnie de l'homme et vivent très mal qu'on ne s'occupe pas suffisamment d'eux. Certaines races orientales, comme les Siamois et les Burmese, sont particulièrement appréciées des maîtres qui aiment avoir constamment un chat dans les bras. Leur si grand besoin de contact humain résulte d'un élevage sélectif.

Si votre chat va dehors…

Si votre chat peut accéder à un environnement extérieur protégé, il bénéficiera de tous les avantages : pouvoir vagabon-

der en toute liberté dans la nature et avoir l'assurance d'être logé et nourri en rentrant chez lui. Toutefois, si vous laissez votre chat sortir, sachez que vous devez veiller à :
• entretenir de bonnes relations avec vos voisins,
• assurer la sécurité de l'animal dans le jardin et au-delà,
• préserver les petits rongeurs et les oiseaux.

Le bon voisinage

Si vos voisins ne veulent pas voir des chats aller et venir dans leur jardin pour faire leurs besoins et/ou chasser, ils vous rendront la vie dure, ainsi qu'à votre animal. Il est alors préférable de prendre toutes les mesures nécessaires. Vous pouvez, par exemple, construire un enclos couvert dans lequel votre chat se promènera à sa guise. Il y sera à la fois en sécurité et au grand air, vos voisins seront contents et vous aurez l'esprit tranquille de voir tout le monde satisfait ! Autres avantages

Grimper aux arbres

On a tendance à s'inquiéter de voir des chats grimper aux arbres, mais rares sont ceux qui, habitués à sortir, restent coincés là-haut ; ils trouvent presque toujours le moyen de redescendre tout seuls sans se faire mal. Si certains chats restent bloqués, c'est parce qu'ils n'ont pas l'habitude de ce genre d'exercice ou que ce sont des chatons inexpérimentés.

*Regardez toujours sous votre voiture avant de démarrer.
Les chats ont tendance à rester sous les voitures en stationnement
et à chercher la chaleur sous le capot.*

de l'enclos extérieur : le chat est à l'abri de la circulation routière et les autres dangers venant de l'extérieur, il ne risque pas d'être dérangé par d'autres personnes ou animaux, ni d'être contaminé par des congénères malades.

La sécurité à l'extérieur

Les risques extérieurs incluent – entre autres – la circulation routière, les humains mal intentionnés, les animaux dangereux, les intoxications, la noyade dans des citernes et la contamination par des congénères malades.

• **Les intoxications.** Enfermez les produits chimiques. Si vous révisez votre voiture, veillez à essuyer l'antigel et l'huile de vidange que vous pouvez avoir renversés. En effet, les chats adorent lécher l'antigel, tandis que l'huile sur le poil ou les pattes les empoisonne parce qu'ils l'ingèrent en faisant leur toilette. La plupart des chats évitent d'instinct les plantes vénéneuses, mais les chatons, curieux de tout, peuvent les manger par imprudence. Il est donc préférable d'arracher toutes les plantes vénéneuses du jardin – votre vétérinaire vous dira quelles sont les plus dangereuses. Les chats risquent également de s'empoisonner en mangeant des proies contaminées (rongeurs et oiseaux).

• **Le venin de crapaud.** Les chats ont tendance à vouloir attraper grenouilles et crapauds, sans savoir quel danger

Habituer son chat à être tenu en laisse

Certains maîtres apprennent à leur chat à se promener en laisse. Les Siamois sont des élèves particulièrement dociles, tandis que d'autres races s'y opposent farouchement. La réussite de l'apprentissage dépend de chaque individu. N'oubliez pas que sortir un chat n'a rien à voir avec sortir un chien : ce n'est pas vous, mais votre chat qui décide de l'endroit où il veut aller et quand. Il vous faudra un harnais et une laisse légère, suffisamment longue pour rester en contact avec l'animal sans tirer. Commencez l'apprentissage à la maison où votre animal se sentira en sécurité. Et habituez-le d'abord à porter le harnais avant d'y attacher la laisse. Ne tirez pas sur la laisse et surtout pas brusquement. Laissez le chat aller où il veut et contentez-vous de suivre. Attendez-vous à ce que cet apprentissage prenne des semaines, voire des mois.

Il est préférable d'habituer un chat à se promener en laisse dès son plus jeune âge, car les chatons apprennent plus facilement que les chats adultes. Ne sortez jamais votre chat en laisse dans des endroits où il risque d'être poursuivi par des chiens – il est difficile de calmer un chat terrorisé et l'incident peut tourner à la tragédie.

ces derniers représentent. En effet, les crapauds émettent une substance parfois toxique, toujours irritante et au goût exécrable, lorsqu'ils se sentent menacés. Les chats réagissent en secouant frénétiquement la tête, en salivant et en se donnant des coups de patte sur la bouche pour essayer de se débarrasser du venin. Si vous suspectez une intoxication au venin de crapaud, consultez votre vétérinaire.

- **Les morsures de serpent.** Consultez votre vétérinaire si vous pensez que votre chat a été mordu par un serpent venimeux.
- **La noyade.** Les citernes à eau de pluie peuvent se révéler mortelles pour les chats trop curieux qui, une fois tombés dedans, ne peuvent plus remonter. Veillez à ce que les couvercles des citernes soient bien fixés et maintenus avec un poids pour empêcher votre chat de les déplacer.

Préserver les petits rongeurs et les oiseaux

Reportez-vous à la « Question habituelle », page 89, pour des renseignements à ce sujet.

La vie à la maison

La vie en milieu urbain devient de plus en plus dangereuse pour nos petits félins, principalement en raison de la hausse continue du trafic routier. C'est pourquoi la plupart des propriétaires préfèrent garder leur animal en permanence à l'intérieur, en les laissant sortir uniquement pour jouer, prendre l'air et observer les petits animaux sauvages depuis un enclos situé dans un coin du jardin ou de la cour.

Un chat qui a été habitué à aller et venir régulièrement au dehors depuis son plus jeune âge aura beaucoup de mal, une fois adulte, à vivre tout le temps à l'intérieur. Certains chats ne s'y font même jamais. L'ennui représente un problème majeur pour les chats d'intérieur, en particulier les plus actifs, et entraîne souvent des problèmes comportementaux. Mais certains animaux s'adaptent parfaitement à une vie d'intérieur. Bien sûr, vous devez tout faire pour continuer d'éveiller l'intérêt de votre compagnon : il ne demande qu'à se dépenser et à jouer avec vous.

Les revues spécialisées font souvent de la publicité pour les enclos à chats. Un sol en béton vous permettra de nettoyer et désinfecter facilement votre enclos.

La plupart des chats d'intérieur aiment pouvoir observer ce qui se passe à l'extérieur à travers la fenêtre et cela les distrait.

Cachez des aliments secs aux quatre coins de la maison afin d'encourager votre chat à « chasser » pour se nourrir et mettez suffisamment de jouets à sa disposition pour l'occuper la majeure partie du temps. Certains maîtres possèdent même une « salle de jeux » réservée à leur chat – un endroit équipé d'arbres à chat, de griffoirs, de jouets, de tunnels, voire d'une fontaine électrique à laquelle l'animal peut se désaltérer à volonté, ainsi que d'un petit jardin d'intérieur contenant de l'herbe et des plantes non toxiques à mordiller.

Réservez-vous des moments privilégiés pour jouer et échanger des marques d'affection avec votre compagnon, des instants que vous attendrez tous les deux avec impatience et qui empêcheront votre animal de s'ennuyer.

Vous pouvez vous procurer des plantes et des herbes non toxiques dans les animaleries et les jardineries – ces dernières proposant aussi un large choix de petits bassins d'intérieur peu profonds.

La sécurité à l'intérieur

Vous pouvez penser que votre maison est un endroit plus sûr que la rue pour votre chat. Elle recèle pourtant un certain nombre de dangers potentiels, dont vous devez avoir conscience pour préserver le bien-être de votre compagnon.

- **Les cuisinières ou les plans de cuisson.** Les chats, qui adorent sauter, ont vite fait d'atterrir sur la cuisinière ou le plan de cuisson et… de se brûler les pattes. Interdisez donc la cuisine à votre chat pendant que vous cuisinez et ne le laissez entrer qu'une fois les plaques de cuisson refroidies.
- **Les machines à laver et les sèche-linge.** Avant de fermer la porte de la machine et de la mettre en marche, vérifiez que votre chat ne s'est pas réfugié là pour faire un petit somme.
- **Les réfrigérateurs et les congélateurs.** Avant de refermer la porte, regardez si votre chat ne s'est pas faufilé à l'intérieur pour goûter à quelques bonnes choses…
- **Les produits de nettoyage et les détergents.** Votre chat ne doit absolument pas y avoir accès.
- **Les shampoings à moquette en poudre.** Ils sont à éviter, car susceptibles de provoquer des problèmes respiratoires et cutanés chez les chats.
- **Les fils électriques.** Mâchouillés par le chat, ils peuvent entraîner sa mort. Or, les jeunes chats, très curieux, les considèrent comme des jouets irrésistibles. Laissez un minimum de fils électriques à nu dans les endroits de la maison où votre chat se promène.
- **Les accessoires de couture.** Aiguilles, fil, boutons et élastique doivent être tenus hors de portée de votre chat.
- **Les médicaments.** Stockez-les dans une armoire à pharmacie ou un tiroir, là où votre chat n'a pas accès.
- **La baignoire.** Lorsque vous vous faites couler un bain, interdisez la salle de bains à votre chat, car il risquerait de sauter ou de tomber dans l'eau.

Fait félin

Les chats en bonne santé retombent sur leurs pattes après une chute d'une hauteur raisonnable, soit environ trois mètres, ce qui leur évite d'être gravement blessés. Malheureusement, ils ne s'en sortent pas toujours aussi bien quand ils tombent d'un balcon ou d'une fenêtre en étage élevé.

Certaines plantes d'intérieur et fleurs coupées sont toxiques pour les chats. Vérifiez donc les étiquettes avant d'en acheter. Les plantes épineuses sont à éviter, car elles peuvent blesser gravement les yeux et les pattes du chat. Demandez conseil à votre vétérinaire sur les plantes et les fleurs à proscrire.

Question habituelle

Q Que dois-je faire si mon chat disparaît ?

R Un chat autorisé à sortir risque de disparaître pour une multitude de raisons – enfermé accidentellement dans le garage ou la remise d'un voisin, pris à tort pour un chat errant et recueilli par des personnes bien intentionnées ou dans un refuge, transporté loin de chez lui après avoir grimpé dans une camionnette de livraison, etc. Si votre chat a disparu, vous pouvez prendre les mesures suivantes.

- Contactez les autorités locales pour savoir si des chats tués ou blessés sur les routes leur ont été signalés.
- Contactez les vétérinaires et les refuges les plus proches – si votre animal est équipé d'une puce électronique ou d'un collier avec une médaille, il sera immédiatement identifiable.
- Demandez à des voisins s'ils n'ont pas vu votre chat, et de regarder dans leur garage, leur remise ou autres.
- Est-ce que l'un de vos voisins a déménagé le jour où vous avez constaté la disparition de votre chat ? Votre animal aurait-il pu se cacher dans le camion de déménagement ?

- Distribuez des petites affiches sur lesquelles figurent la photo et la description précise de votre chat, chez les commerçants et dans les animaleries, les écoles et les bureaux de poste les plus proches, pour signaler sa disparition. Offrir une récompense permet parfois de retrouver l'animal plus rapidement.
- Les chats de race font l'objet d'un trafic clandestin. Si vous en avez un, il a peut-être été volé. Contactez la police et communiquez-lui la description de votre animal.
- Contactez le Fichier national félin si votre chat est muni d'une puce électronique, ou un service spécialisé dans les chats perdus ou trouvés pour enregistrer la disparition de votre animal (si vous avez accès à Internet, tapez « animal domestique perdu » dans un moteur de recherche ; sinon, sachez que les vétérinaires et les refuges ont souvent les coordonnées de ces services).

Avec un peu de chance, vous ne tarderez pas à retrouver votre compagnon ou, du moins, à savoir ce qui lui est arrivé. Dès que vous l'avez retrouvé, informez-en toutes les personnes qui étaient au courant de sa disparition, ce qui leur évitera de poursuivre inutilement les recherches.

L'installation de votre chat

Avant d'accueillir votre nouveau compagnon, vous devez vous préparer à ce grand événement de manière que les choses se passent sans problème. Si vous connaissez suffisamment à l'avance la date à laquelle vous irez chercher votre animal, cela vous donnera le temps de prévoir tout ce dont vous aurez besoin. Pour cela, consultez la liste ci-contre.

Critères

- ✓ une pièce isolée ou un panier à l'écart
- ✓ un panier ou une cage de transport
- ✓ un bac à litière et de la litière
- ✓ un logement et un couchage
- ✓ écuelles, nourriture et eau
- ✓ des jouets et un griffoir
- ✓ un collier et une médaille

Quand accueillerez-vous votre chat ?

Attendez d'avoir un peu de temps libre (ou prenez des congés) pour accueillir votre nouveau compagnon et faciliter son adaptation à un nouvel environnement. C'est particulièrement important pour un chaton, qui exige beaucoup plus d'attention qu'un chat adulte. Il sera certainement désorienté ou un peu apeuré. Vous devez être là pour lui tenir compagnie, lui montrer l'emplacement de sa nourriture, de son eau et de son bac à litière (et lui apprendre la propreté, si nécessaire), et le présenter aux autres membres de la famille.

L'idéal est de lui réserver une pièce où il sera en sécurité pendant un ou deux jours, le temps de prendre ses repères. Préparez la pièce avec l'équipement dont il aura besoin – les écuelles, le bac à litière, le logement et les jouets. Expliquez au reste de votre famille (en particulier aux enfants) que le chat doit être dérangé le moins possible tant qu'il ne s'est pas habitué à son nouveau milieu.

Pour les présentations, asseyez-vous par terre, avec vos enfants : le chaton aura moins peur de vous si vous n'êtes pas des géants !

La plupart des chats font le tour du propriétaire ou se cachent quelque part lorsqu'ils arrivent dans leur nouvelle maison. N'empêchez pas votre animal d'explorer les lieux et ne le délogez pas de sa cachette – c'est sa façon à lui de se tranquilliser. Il ne sortira de son repaire qu'une fois qu'il saura qu'il n'y a aucun danger. Faites semblant de l'ignorer et vaquez tranquillement à vos occupations.

Si vous n'avez pas de pièce à réserver à votre chat, installez une cage d'intérieur (avec tout l'équipement nécessaire) dans l'endroit le plus calme de la maison et logez-y-le dès les premiers jours.

Les préparatifs

Quelques jours avant d'accueillir l'animal chez vous, confiez à l'éleveur ou à la personne qui vous l'a vendu le couchage qu'il utilisera afin qu'il s'y habitue pendant qu'il est encore dans un environnement connu. Ce couchage prendra l'odeur du chat ou celle de sa mère et de ses frères et sœurs et, durant le transport comme dans son nouveau foyer, l'animal se sentira plus à l'aise. Il est préférable de prévoir deux couchages au cas où le chat ferait un petit pipi au cours du trajet. Emportez également chez vous un peu de sa litière habituelle, là encore pour faciliter son adaptation.

Achetez l'équipement nécessaire, en particulier un panier ou une cage de transport assez solide, car il est imprudent de prendre le chat dans ses bras. Renseignez-vous auprès de la personne chez qui vous allez chercher votre chat sur la nourriture et la litière auxquelles il est habitué, ce qui vous permettra d'en acheter d'avance. Informez-vous sur sa ration quotidienne de nourriture et la fréquence de ses repas.

Une fois que vous êtes chez l'éleveur ou le propriétaire, déposez au fond du panier de transport le couchage imprégné d'odeurs familières, placez-y votre chat et fermez correctement le panier. Vérifiez que tous les papiers nécessaires vous ont bien été remis (attestation de cession, carnet d'immatriculation, pedigree, formulaire de demande de transfert de titre de propriété, carnet de santé) avant de partir.

Le trajet jusqu'à la maison

Attachez le panier avec la ceinture à l'arrière de votre véhicule, sur la banquette, ou posez-le par terre. L'intérieur du véhicule doit être à température moyenne et avoir une circulation d'air

Le saviez-vous ?

Les chats et les chatons urinent et/ou défèquent souvent pendant le trajet en voiture, alors posez le panier sur un sac plastique ou une alaise. Munissez-vous d'un couchage de rechange et de lingettes antiseptiques pour parer à tout « accident ».

LE COMPORTEMENT FÉLIN

Les chats ont leur propre langage. Mais si nous les observons attentivement, nous pouvons nous faire une idée précise des « signes » qui composent leur langage corporel et nous permettent de savoir (ou du moins d'essayer de deviner) ce qu'ils ressentent, ce qu'ils attendent de nous et ce dont ils ont besoin. En faisant l'effort de « décoder » ce que votre chat est en train de vous dire, vous le comprendrez mieux et lui offrirez ainsi une vie plus heureuse. De nombreux chats ne sont pas traités comme il faut parce que leurs maîtres ne comprennent pas ce qu'ils leur disent. En tant qu'êtres humains doués d'intelligence, c'est à nous d'apprendre le langage de l'animal dont nous avons fait notre compagnon de vie.

Le langage corporel

Les chats communiquent par toutes sortes d'expressions faciales, de cris, de mouvements et de positions. La plupart des maîtres parlent à leur animal et une compréhension mutuelle semble parfois s'établir entre eux. Les chats possèdent un vocabulaire universel très étendu et certaines personnes ont essayé de traduire avec précision ce qu'ils voulaient exprimer. Vous aussi vous pouvez apprendre à identifier les messages de votre chat en suivant les quatre règles essentielles ci-contre.

Critères

- ✓ observer
- ✓ écouter
- ✓ analyser
- ✓ traduire

Curieux

En éveil et l'air intéressé, ce chaton est détendu, mais la position de son corps et l'expression de sa face (yeux grands ouverts et moustaches qui remuent) montrent qu'il regarde quelque chose qui a attiré son attention et qu'il ne considère pas comme une menace.

Avenant

La queue redressée et incurvée en signe de bienvenue, la patte soulevée, ce chat est prêt à s'approcher d'une personne ou d'un autre animal et à s'y frotter une fois que tout danger aura été écarté. Il veut faire rapidement connaissance.

Joueur

Ce chat est détendu et heureux de jouer.

Tranquille

Les pattes repliées en manchon, signe d'absence de danger, les pattes postérieures étalées de tout leur long, ce chat est parfaitement serein et dans une position vulnérable qu'un animal sur ses gardes n'adopterait pas. Les oreilles dressées et les yeux largement ouverts montrent néanmoins que quelque chose vient d'éveiller son intérêt.

Ennui

L'alternance de moments de léthargie et de moments de surexcitation indique l'ennui et le stress (elle peut aussi être le signe d'une maladie physique).

Anxieux – inquiet

La queue est rabattue, coincée entre les pattes postérieures, et donc mise à l'abri. Le poids du corps repose sur les pattes postérieures, ce qui indique que le chat est prêt à déguerpir ou à attaquer avec les griffes de ses pattes antérieures, si nécessaire. Oreilles et moustaches sont tournées vers l'arrière pour être protégées en cas de bagarre. Les yeux regardent vers le haut, cherchant un endroit en hauteur plus sécurisant. Le chat miaule bruyamment pour appeler quelqu'un à son secours.

Somnolent

Couché sur le flanc, totalement détendu, les yeux mi-clos, les griffes relâchées, ce chat n'est pas prêt à prendre la fuite. La position de sa tête, de ses oreilles et de ses moustaches, ainsi que celle de sa queue, étalée et non repliée sous le corps, montrent qu'il est parfaitement à l'aise et tranquille et ne pressent aucun danger imminent.

Fait félin

Les chats apprennent très tôt à miauler pour attirer l'attention de leur maître et comprennent que c'est le moyen de pression idéal ! Ils savent très bien nous dresser ! Les femelles utilisent un cri très efficace à la saison des amours pour attirer les mâles – un appel très caractéristique qui ressemble à une plainte et se prolonge tant que la chatte ne s'est pas accouplée. Les mâles ont également leur propre panoplie de « cris sexuels ». Les chats semblent conserver leur langage vocal de chaton pour communiquer avec leur maître, mais utilisent un répertoire de sons d'adultes pour communiquer entre eux.

Abattu

On voit à son corps tendu, à son expression inquiète, à ses oreilles basses, à ses moustaches tombantes et à sa queue traînant au sol que ce chat n'est pas dans son assiette.

Méfiant

Tapi, l'arrière-train abaissé, la queue repliée vers l'avant contre le corps et prêt à la fuite, ce chat est aux aguets après avoir vu quelque chose dont il se méfie. Sa face est tendue, ses yeux sont vigilants et ses oreilles dressées, à l'affût du moindre bruit.

Sur la défensive

Face à un danger potentiel, ce chat couche les oreilles, baisse ses moustaches et sa queue pour les mettre en sécurité et détourne son regard pour ne pas provoquer encore davantage son agresseur. Une patte est levée, prête à attaquer si nécessaire. Le chat émet un grognement ou un miaulement nasal assez grave.

Effrayé

Ce chat tente de se faire tout petit en s'accroupissant et en cherchant à s'éloigner de ce qui l'effraie. Sa queue est rentrée entre ses pattes postérieures et ses oreilles sont couchées pour être protégées en cas de combat. Ses yeux paraissent plus grands que d'habitude car ouverts au maximum pour lui permettre d'avoir le champ de vision le plus large possible. La réaction de peur dilate ses pupilles et son cri exprime sa peur.

Agressif

Le chat agressé s'est roulé sur le dos pour pouvoir utiliser ses quatre pattes en défense et griffe la face vulnérable de son attaquant. L'agresseur a les oreilles rabattues en arrière et les yeux fermés pour les protéger ; il utilise ses pattes antérieures pour se battre. Son arrière-train est tendu et en position d'attaque.

Hostile

Grognant, sifflant et crachant, les oreilles plaquées, prêt à fuir ou à attaquer selon l'attitude de l'ennemi, ce chat montre son hostilité vis-à-vis de la personne ou de l'animal qui l'approche.

Question habituelle

Q Pourquoi les chats ronronnent-ils ?

R Le ronronnement est d'ordinaire un signe de bien-être et de contentement, mais il peut aussi indiquer une souffrance. Si vous connaissez bien votre chat, vous saurez faire la différence. Les chats commencent à ronronner à l'âge d'une semaine. Les jeunes chats ont un ronronnement monotone, tandis que les plus âgés ronronnent sur deux ou trois notes sonores. Tous les chats ronronnent à la même fréquence – 25 cycles par seconde – mais la façon dont le son du ronronnement est produit demeure un mystère ; certains scientifiques pensent qu'il provient du système cardio-vasculaire et non des poumons ou de la gorge.

Soumis

Ce chaton se tapit pour se faire tout petit et ne riposte pas, mais il est prêt à prendre rapidement la fuite si nécessaire.

Le saviez-vous ?

- Deux chats ne se saluent pas en se frottant le nez mutuellement, car ils sont alors tous les deux en position de vulnérabilité. Cependant, s'ils se connaissent bien, mais ont été séparés pendant un moment, ils peuvent se faire suffisamment confiance pour le faire et montrent ainsi qu'ils se reconnaissent et se donnent des nouvelles l'un de l'autre.
- Les chats qui se connaissent bien s'amusent à se bagarrer. C'est un spectacle souvent bruyant et qui peut paraître violent, les deux compères prenant les mêmes attitudes que s'ils se battaient réellement, mais leurs griffes ne sont pas sorties et ils font semblant de se mordre en bondissant l'un sur l'autre, en se roulant par terre et en grattant le sol avec leurs pattes postérieures.

Affamé – réclame l'attention

Si ce Manx possédait une queue, il la dresserait à la verticale en signe d'accueil. Il pointe ses oreilles, son regard est en éveil et il se fait très grand sur ses pattes pour mieux attirer l'attention de son maître – quémander des caresses ou de la nourriture. En même temps, il zigzague autour des jambes de son propriétaire, se frotte contre lui et utilise sa voix (des miaous stridents ou des « couinements ») pour se faire entendre.

Le flehmen

Le flehmen est un comportement olfactif particulier : le chat entrouvre la gueule et inspire l'air. La structure sensorielle (l'organe de Jacobson) est située au-dessus de la voûte du palais. Ce type d'olfaction est souvent utilisé par les mâles pour savoir si la femelle est sexuellement réceptive.

Chasseur

Totalement immobile, les yeux grands ouverts pour capter un maximum d'informations, le regard rivé sur sa proie et les oreilles dressées pour la localiser avec exactitude, ce chat est prêt à bondir en prenant élan sur ses pattes postérieures (son arrière-train se trémousse d'ailleurs juste avant le bond).

Du chat sauvage au chat domestique

Malgré son caractère indépendant, le chat est peu à peu entré dans la vie et le cœur des hommes, jusqu'à devenir un animal de compagnie à part entière et un objet de valeur avec le développement de races spécifiques. Son histoire mouvementée au cours des siècles – du félin sauvage à l'animal domestique vénéré, du chasseur de rongeurs à la bête maudite et persécutée – a contribué à lui donner le caractère que nous lui connaissons aujourd'hui. Ses principaux traits de caractère figurent ci-contre.

Critères
- ✓ indépendant
- ✓ autonome
- ✓ méfiant
- ✓ curieux
- ✓ vigilant
- ✓ opportuniste
- ✓ instinctif
- ✓ prudent
- ✓ sélectif sur le plan affectif

Le saviez-vous ?

- En 1967, une nouvelle espèce de chat sauvage fut découverte sur la petite île japonaise d'Iriomote, près de Taïwan.
- Le lynx est le seul membre sauvage de la famille des félidés à vivre à la fois dans l'Ancien Monde et le Nouveau Monde.

Les origines du chat

Des carnivores primitifs proches des félins ont existé bien avant l'apparition de l'homme sur Terre. On ignore quel fut le véritable ancêtre du chat, mais on pense que les miacidés (mammifères ressemblant à des belettes), qui ont vécu il y a quelque 60 millions d'années et se montraient de redoutables petits carnassiers, ont progressivement évolué pour donner naissance aux ancêtres de la famille des félidés telle que nous la connaissons aujourd'hui.

Vers le chat moderne

Au lendemain de la période glaciaire, il y a 2,5 millions d'années, sont apparues une quarantaine d'espèces de félins. Seules les plus adaptées et les plus résistantes ont survécu. Il y a environ 10 000 ans, les descendants des premiers hommes ont commencé à cultiver la terre et à domestiquer des animaux utiles. Selon certains, c'est à cette époque que les chats se sont mis à établir des liens avec les humains, attirés par les souris qui dévastaient les greniers à grains.

Le chat domestique appartient à la même espèce que le chat sauvage d'Europe et d'Asie, dont des ossements datant de 6 000 ans environ ont été découverts à Jéricho, en Israël, et à Chypre (un pays qui ne possédait pas de chats indigènes

L'instinct du chat le pousse à chercher à savoir quel autre animal ou congénère partage son territoire. S'il veut survivre dans la nature, il lui est indispensable de connaître ses rivaux en matière de nourriture et d'accouplement. Même les chats qui vivent dans un univers domestique totalement sécurisé n'ont pas perdu cet instinct.

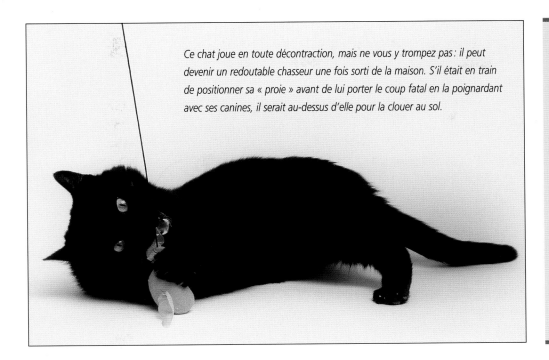

Ce chat joue en toute décontraction, mais ne vous y trompez pas : il peut devenir un redoutable chasseur une fois sorti de la maison. S'il était en train de positionner sa « proie » avant de lui porter le coup fatal en la poignardant avec ses canines, il serait au-dessus d'elle pour la clouer au sol.

La famille des félidés comprend :

- le chat domestique,
- les chats sauvages de différents types,
- le guépard,
- le jaguar,
- le léopard,
- le lion,
- le lynx,
- l'ocelot,
- la panthère,
- le puma,
- le serval,
- le tigre.

à l'époque). Il est fort probable que les chats cypriotes aient été importés par les anciens Égyptiens qui ont élevé ces animaux domestiques au rang d'animal sacré.

Les premiers chats domestiques

On sait que les Égyptiens (autour de 2000 ans av. J.-C.) ont domestiqué le chat. Comment en avons-nous la certitude ? Tout simplement parce que cet animal est très représenté dans l'art de l'Égypte ancienne. Certaines scènes montrent des chats profitant du confort domestique, d'autres que le chat était utilisé pour aider l'homme à chasser les oiseaux aquatiques dans le delta du Nil en les délogeant des roseaux. La loi égyptienne protégeait les chats et interdisait leur sortie du pays. Néanmoins, les marchands les ont exportés, par exemple en Grèce et sur l'île de Bretagne. Après avoir conquis l'Égypte, les Romains ont contribué à répandre le chat aux quatre coins du monde en l'utilisant pour limiter la propagation des rongeurs dans les camps militaires.

Le compagnon de l'homme

Les chats vivaient choyés auprès des colons romains et de riches propriétaires. Ils ont fini par s'installer définitivement dans les fermes et les propriétés de l'Empire romain où ils n'étaient pas seulement des animaux de compagnie, mais aussi des animaux utiles pour protéger les récoltes des rongeurs. La valeur du chat a été codifiée dans une loi promulguée en 936 apr. J.-C. par Hywel le Bon, prince du sud du pays de Galles. Selon cette loi, un chaton valait un penny jusqu'à ce qu'il ouvre les yeux, deux pence jusqu'à ce qu'il soit apte à tuer des souris et quatre pence lorsqu'il savait chasser. En outre, la loi punissait sévèrement l'individu qui avait volé ou tué un chat : il était sommé de payer une forte somme d'argent au propriétaire de l'animal. Mais c'est à bord des navires que le chat était le plus apprécié, en particulier lorsque le rat noir fut supplanté, à partir du XVIe siècle, en Europe, par le surmulot ou rat d'égout. Les cales des navires grouillaient souvent de rats et le chat constituait le seul moyen de limiter leur prolifération. Les chats embarquaient et débarquaient à volonté et les chatons naissaient souvent en mer. C'est ainsi que des chats de toutes formes, de toutes tailles et de toutes couleurs ont colonisé toute la planète.

Fait félin

Au Ve siècle av. J.-C. une armée perse exploita la vénération des Égyptiens pour les chats. En marchant sur Péluse, le chef de l'armée perse ordonna à ses hommes de transporter des chats vivants jusqu'au front alors qu'ils assiégeaient la ville. Refusant que l'on touche au moindre poil de ces animaux sacrés, les Égyptiens se rendirent et les Perses remportèrent une victoire sans effusion de sang.

Le comportement normal

Le comportement normal du chat est instinctif. Même si certains actes ou comportements peuvent vous paraître étranges, voire vous énerver ou vous déplaire, vous devez comprendre qu'ils sont motivés essentiellement par le besoin du chat de se sentir en sécurité et à l'aise dans son environnement. Certes, c'est un animal domestique et plus ou moins soumis à l'homme, mais n'oubliez jamais qu'il reste par nature un animal sauvage – un petit lion parmi nous. Voyez ci-contre les caractéristiques de son comportement.

Critères

✓ prédateur
✓ attaché à son territoire
✓ propre
✓ vif et agile
✓ indépendant
✓ solitaire

CI-CONTRE *La morphologie et l'aspect général du chat domestique actuel sont à peu près ceux de son ancêtre, le chat sauvage d'Afrique.*

CI-DESSUS *Le chat sauvage d'Afrique accepte assez bien la présence humaine et peut même vivre dans et autour de certains villages africains pour récupérer de la nourriture et chasser.*

Chasser

Le chat ne sait pas chasser d'instinct. Le chaton développe sa technique de chasse en observant et en imitant sa mère, ce qui montre qu'il s'agit d'un comportement partiellement acquis. Si le chaton n'a pas appris à chasser, il pourra à l'âge adulte attraper une proie sans savoir comment la tuer. Le spectacle d'un chat « jouant » avec sa proie (la relâchant et la rattrapant sans cesse) est désolant, mais ce comportement peut tenir à plusieurs raisons.

• Le chat est un chasseur inexpérimenté et, par conséquent, un mauvais tueur. Il sait attraper une proie mais ignore comment l'achever.

• C'est un moyen d'affaiblir la proie avant de s'en approcher de très près pour la tuer. Cette dernière peut, en effet, mordre son attaquant pour se défendre.

• Le chat peut rapporter une proie agonisante à son maître, alors considéré comme un compagnon de portée, afin qu'il joue avec et améliore sa pratique de la chasse, de la même façon qu'une mère rapporte une proie à ses chatons pour leur apprentissage.

Bien sûr, les chats domestiques n'ont pas besoin de chasser pour se nourrir puisque leur maître leur donne à manger, mais les chats harets (chats domestiques retournés à l'état sauvage) et les chats sauvages, eux, sont obligés de chasser, et les félins de conserver ce savoir. Il vous est impossible d'annuler un processus d'évolution qui a duré des millions d'années et, à moins de garder votre chat enfermé à l'intérieur ou dans un enclos extérieur, vous ne pourrez pas faire grand-chose pour l'empêcher de chasser.

Tout est bon à chasser...

Certains chats ont un instinct de prédateur plus fort que d'autres. S'ils restent enfermés sans pouvoir jamais sortir, ils risquent de se tourner vers d'autres choses qui bougent dans la maison – adultes, enfants ou animaux familiers – et de les prendre pour cibles. Des poursuites et des morsures simulées constituent parfois un jeu social, mais certains de nos petits félins peuvent afficher un réel comportement prédateur et faire mal à leurs victimes innocentes en cherchant à les capturer et à les tuer.

Comment résoudre ce problème ? En laissant son chat aller chasser dehors ou jouer avec des jouets qu'il prend pour des proies. Toujours est-il que certains chats s'en prennent à des membres de la famille avec lesquels ils s'entendent généralement bien, ce qui montre combien l'instinct de prédateur est ancré en eux.

Les chats regardent souvent les oiseaux par la fenêtre et peuvent faire semblant de les attraper et/ou retrousser les babines en signe de frustration.

Dormir

Les chats passent une grande partie de leur vie à dormir. Carnivores, ils mangent rapidement et peuvent donc se permettre de faire la sieste pendant le reste de la journée, contrairement aux herbivores.

La plupart des chats chassent en solitaire, mais des parties de chasse en famille ont déjà été observées.

Le chat affiche un comportement de prédateur détourné de son objet en bondissant sur les jambes et les pieds de son maître comme pour saisir une proie. Ici, il s'agit toutefois davantage d'un jeu social que d'une attaque réelle : l'animal n'a pas sorti ses griffes et il ne mord pas.

Les chats préfèrent dormir dans un endroit chaud et confortable afin de conserver leur énergie et être en forme pour aller ensuite chasser plus efficacement. Ils aiment faire des petits sommes et, en général, ne dorment pas longtemps d'une traite. Mais, s'ils sont suffisamment détendus pour entamer un sommeil profond, ils ont la même activité cérébrale que nous lorsque nous rêvons. Leur corps se contracte brusquement comme s'ils étaient en train de courir et de sauter, ce qui laisse penser qu'ils rêvent de ce qu'ils ont fait dans la journée, comme nous. Les chats privés de sommeil profond sur une longue période peuvent tomber malades.

Un chat qui dort possède une ouïe encore plus fine que lorsqu'il est éveillé, si bien qu'il est averti du moindre danger. Quand votre chat s'endort sur vos genoux et se réveille subi-

tement comme s'il était attaqué, il s'aperçoit généralement tout de suite que ce ne sont que vos mains qui le caressent. Mais certains petits félins ont une réaction de défense si prompte qu'ils peuvent griffer ou mordre, au grand étonnement de leur maître.

Faire ses griffes

Les chats sont munis de griffes acérées et recourbées à leur extrémité, qui leur permettent d'avoir une bonne prise sur leur proie et de grimper en s'accrochant en cas de danger. Rétractées à l'état de repos afin de ne pas s'émousser, les griffes sortent du repli de peau qui les protège quand le chat veut attraper une proie ou monter dans un arbre.

Les griffes ont une croissance continue. L'animal doit donc les user et se débarrasser périodiquement de l'étui corné dont elles sont constituées, pour le remplacer par un nouveau. Il fait alors ses griffes sur une surface adaptée ou dans des endroits stratégiques où il laisse des messages odorants. Dans le jardin, il fait ses griffes sur le tronc des arbres, mais dans la maison les meubles sont sa cible privilégiée ! C'est pourquoi vous devez lui apprendre à utiliser un griffoir.

Ce griffoir est trop petit pour être utilisé correctement par l'animal. Les chats préfèrent s'étirer sur toute leur hauteur et utiliser ainsi le poids de leur corps pour frotter leurs griffes contre le poteau.

Le saviez-vous ?

Les griffes peuvent s'accrocher aux vêtements et rester prises dans le tissu, provoquant une panique chez le chat. Alors dégagez doucement ses griffes, en le tenant fermement pour qu'il ne puisse pas tenter de s'échapper avant d'être libéré, ce qui l'emprisonnerait et l'effraierait encore davantage.

Conseil

Rester immobile représente souvent la stratégie favorite d'un chat confronté à l'hostilité d'un ou de plusieurs congénères du foyer. Cette hostilité peut compromettre son bien-être si elle l'empêche de satisfaire ses besoins vitaux (manger, boire, faire ses besoins, dormir). Alors soyez vigilant si vous possédez plusieurs de ces charmants félins.

Se tenir en hauteur

La plupart des félidés utilisent arbres et autres repaires situés en hauteur pour se mettre hors de danger, se reposer, ainsi que pour guetter leurs proies. Leurs griffes acérées et recourbées les aident à grimper sur la plupart des surfaces verticales leur offrant une prise. La descente tête en bas est plus difficile, car leurs griffes ne leur sont plus d'aucun secours. Ils essaient donc de revenir à leur position initiale (tête en haut) et de descendre à la manière des ours avant de faire volte-face et de sauter par terre.

Jouer

Les chats jouent avec des petits objets ou les uns avec les autres pour s'amuser et, surtout, développer leur capacité à chasser et à défendre leur territoire. C'est grâce au jeu que les chatons apprennent à se socialiser, à chasser et à se battre, aptitudes dont ils auront besoin une fois adultes. En effet, ils apprennent à transporter dans leur gueule des petits objets ou des petites proies apportés par leur mère, à empêcher leurs frères et sœurs de les leur prendre en grognant et, si cela ne suffit pas à les dissuader, en leur lançant une volée de coups avec leurs pattes. Le désir de jouer et de chasser diminue progressivement avec l'âge, pour laisser place au plaisir de ne rien faire et de sommeiller la plupart du temps.

Les chats ou les chatons inexpérimentés peuvent grimper aux arbres ou se réfugier en hauteur en cas de danger et se retrouver coincés à plusieurs mètres du sol parce qu'ils n'ont pas appris à redescendre. Ils ont alors réellement besoin d'aide, car leur chute peut être fatale. Quant aux chats expérimentés, ils attendent simplement que le danger soit passé pour redescendre.

Uriner et déféquer

Lorsqu'ils ne laissent pas de messages odorants, les chats aiment bien recouvrir leurs fèces et leur urine pour les rendre indétectables. Ils creusent un trou pour les y déposer, puis les recouvrent en grattant, si bien que l'endroit reste parfaitement propre et ne trahit pas leur présence. Les chats agissent ainsi dès qu'ils sont autonomes, s'ils disposent d'une

Chez des compagnons de portée qui se bagarrent pour jouer, il existe une sorte de retenue instinctive qui les empêche de se faire trop de mal les uns aux autres. Le jeu social entre chatons atteint son apogée entre 9 et 14 semaines, le jeu avec des objets à environ 16 semaines.

Après avoir fait ses besoins dans le trou qu'il a creusé, le chat gratte la terre ou la litière pour les recouvrir, puis hume l'odeur pour vérifier qu'elle est indétectable ou du moins très limitée. Il secoue ensuite ses pattes pour décoller les restes de terre ou de litière et s'éloigne de cet endroit avant de s'installer pour faire sa toilette.

matière facile à gratter (terre ou litière). Le sable et la terre leur plaisent tout particulièrement, car ce sont des matières propres, sèches et faciles à creuser – au grand mécontentement des jardiniers et des parents dont les enfants jouent dans des bacs à sable.

Les chats aiment se cacher pour faire leurs besoins et cherchent toujours un endroit isolé, où ils ne risqueront pas d'être dérangés ou à la merci d'autres animaux. Il est donc important de mettre leur bac à litière dans un endroit tranquille de la maison ; s'il y a trop de passage, ils préfèrent aller derrière un meuble ou dans un lieu inaccessible. Le chat étant une créature très exigeante en matière de propreté, il n'aime pas faire ses besoins dans une litière sale et humide. C'est donc à vous de veiller à lui proposer une litière toujours aussi propre et sèche que possible.

Laisser des messages odorants

Le sens de l'odorat est très développé chez le chat et particulièrement important pour lui. Sa capacité à communiquer par le langage corporel étant limitée, il communique à longue distance grâce aux messages odorants qu'il laisse derrière lui par mesure de sécurité. Ces messages subsistent un certain temps dans l'environnement, informant ses congénères et les autres animaux de la présence du propriétaire des lieux. Les chats ne se contentent pas de frotter les glandes odorantes de leur tête et de leurs pattes contre certaines surfaces pour marquer leur territoire : ils déposent également leurs fèces et leur urine.

Après avoir pris connaissance d'un message odorant, le chat dominant va y ajouter le sien. S'il connaît bien l'intrus et ne nourrit pas d'animosité contre lui, il se contentera d'un frottement de tête, mais s'il juge qu'un message plus fort est nécessaire, il laissera des traces de griffes au sol ou marquera son territoire avec des jets d'urine destinés à couvrir l'odeur de l'intrus. Le chat peut identifier l'âge, le sexe et l'état de santé d'un congénère, voire ce que ce dernier a mangé récemment, dans les messages odorants laissés par l'urine et les fèces.

Se lécher

Le léchage remplit de nombreuses fonctions essentielles au maintien de la santé du chat. Le chat lisse son poil pour s'isoler du froid, pour le débarrasser de ses parasites, pour maintenir le poil et la peau en bon état et pour se rafraîchir par temps chaud. Ils se lèchent également pour sécher leur poil s'il est mouillé, un poil humide n'offrant pas une bonne isolation, ainsi que pour améliorer les relations avec leurs congénères et fixer une hiérarchie – le chat dominé s'efforçant de lécher le chat dominant.

Question habituelle

Q Mon chat défèque souvent à l'extérieur de son bac à litière, comme s'il ratait son coup. Pourquoi fait-il cela et comment puis-je l'empêcher de le faire ?

R Le bac n'est peut-être pas assez grand pour lui ; essayez un bac plus spacieux et plus profond. Autre raison possible : sa litière est humide ou sale dans sa quasi-totalité et votre chat refuse de mouiller ou de salir ses pattes. C'est pourquoi il se positionne à l'endroit le plus sec, situé généralement près du bord du bac. Résultat : il urine ou défèque à côté. La solution est simple : changez plus souvent sa litière et veillez à ce qu'elle soit sèche en surface.

À l'état de veille, les chats passent environ un tiers de leur temps à se lécher.

Fait félin

Comme le chat ne peut lécher ni sa face ni l'arrière de sa tête, il lèche d'abord ses pattes antérieures et les utilise comme gants de toilette pour nettoyer ces endroits inaccessibles.

Explorer son territoire

L'équilibre physique et psychologique des chats passe par la connaissance de leur territoire. Et ils finissent par le connaître au point de savoir où trouver les meilleures sources de nourriture, et où se cachent leurs ennemis potentiels et d'éventuels intrus à déloger. Ces félins contrôlent régulièrement leur territoire et, s'ils détectent quelque chose de nouveau, ne tardent pas à faire leur petite enquête.

Les rapports entre congénères

Un chat qui ne se lie déjà pas facilement avec les congénères qui vivent sous le même toit que lui peut avoir beaucoup de mal à tolérer la présence de ceux qui ne font pas partie de la maison mais partagent son territoire. Les conflits territo-riaux sont fréquents dans les zones résidentielles surpeuplées, où les jardins sont petits et les félins nombreux. Le chat laisse des messages odorants pour avertir les autres qu'une partie du territoire est provisoirement occupée. Grâce à ces messages et s'il connaît les autres félins du coin, il peut savoir quand l'un de ses congénères est passé par là, qui il était, s'il est prudent d'avancer ou, au contraire, d'attendre un moment, voire de rebrousser chemin. Des face-à-face inopinés ne donneront lieu qu'à des intimidations sonores ou visuelles jusqu'à ce que le chat le plus faible fasse marche arrière – aucun des deux ne voulant risquer une blessure.

Se cacher en cas de danger

Même s'ils sont armés de griffes et de dents, les chats ne sont pas très grands et préfèrent éviter les ennuis s'ils le peuvent. Se cacher face à un danger constitue donc une bonne stratégie. Les chats domestiques vont souvent se cacher et ne bougent plus de leur cachette lorsqu'il leur est impossible de se réfugier en hauteur ou de fuir le danger dans les limites étroites d'une maison. Les chats craintifs adorent les paniers « igloo » où ils peuvent se mettre en boule à l'abri des regards. Ils s'y sentent en sécurité, car un chat part du principe que s'il ne peut pas vous voir, vous ne pouvez pas le voir.

Explorer activement son territoire permet au chat d'en établir une carte précise. En utilisant cette carte visuelle mémorisée, il est capable de trouver de nouveaux chemins pour rentrer chez lui, même s'il n'est jamais passé par là auparavant.

Dans ce conflit territorial, les deux chats refusent de céder. Celui qui est perché sur la clôture est en position de force et certainement le maître des lieux, ce qui renforce encore son pouvoir. Les chats peuvent rester ainsi pendant des heures, avant que l'un des deux décide finalement de battre en retraite. Si c'est le cas, le vaincu ne dispose pas d'un grand choix de signes pour montrer à l'autre qu'il a cédé, c'est pourquoi il doit se retirer très lentement pour éviter d'être poursuivi et attaqué par le vainqueur.

Conseil

Le territoire d'un chat castré est beaucoup plus petit que celui d'un chat non stérilisé, les chats opérés ne cherchant pas à s'accoupler ; ceux-ci n'utilisent pas de jets d'urine et les femelles ne les appellent pas. Des chats stérilisés peuvent quand même lutter entre eux pour leur territoire, mais les choses se passent mieux dans ce domaine puisqu'ils restent la plupart du temps à la maison.

Le marquage du territoire

Le chat ne laisse pas seulement des traces odorantes par le biais des glandes de sa tête et de ses pattes [voir pp. 70-71] : les jets d'urine représentent un message plus fort et un moyen de revendiquer un territoire. Comment le marquage se déroule-t-il ? Le chat renifle un poteau ou un buisson pour identifier le congénère qui est passé par là avant lui, tourne le dos à sa cible, lève la queue et, comme s'il pédalait avec ses pattes postérieures, urine le plus haut et le plus précisément possible sur l'objet à marquer. Il se retourne parfois pour renifler sa propre odeur et faire ses griffes avec vigueur sur la trace humide laissée par son urine, ou frotte sa queue et son arrière-train contre l'objet sur lequel il vient d'uriner.

Les femelles peuvent aussi prendre l'habitude de marquer leur territoire par un dépôt d'urine. Certaines adoptent la position typique du mâle pour uriner comme lui.

La défense du territoire

Que se passe-t-il si un chat voit son territoire menacé par un congénère ou un autre animal ?

• Il s'immobilise et regarde l'intrus, tandis que sa queue se relève et se met à se balancer lentement. Il pointe ses mous-

Le saviez-vous ?

Les chats s'intéressent à tout ce qu'il y a de nouveau sur leur territoire et explorent minutieusement cette nouveauté pour voir si elle n'est pas dangereuse, si elle peut faire un bon lieu de repos ou une bonne cachette, ou leur offrir des opportunités de nourriture et de chasse.

taches et ses oreilles vers l'avant, dilate ses narines pour essayer d'identifier l'ennemi.

• Lorsque l'intrus s'approche, le chat change d'attitude et de position. Sa queue s'abaisse, son menton se rentre et ses oreilles s'aplatissent, alors qu'il tente de s'écarter lentement. Il fait le gros dos, hérisse les poils de son dos et de sa queue jusqu'à adopter une position d'attaquant.

• L'intrus continue d'avancer : le chat fait toujours face à l'ennemi, mais se tourne de côté pour impressionner davantage. Ses pattes postérieures se tendent comme un ressort, prêtes à bondir pour attaquer ou pour fuir. Le chat se tient en équilibre sur une patte antérieure, l'autre étant soulevée, toutes griffes dehors, prête à frapper l'adversaire. L'animal montre les dents d'un air féroce.

• Si l'intrus bat en retraite, l'attaquant peut s'avancer légèrement en se léchant les babines et en salivant tout en continuant à grogner.

• Une fois l'intrus parti, le chat renifle l'endroit où il était et le marque de sa propre odeur.

Si aucun des chats ne cède, la bagarre est inévitable. Elle est souvent rapide, violente et très bruyante. Chacun essaie de s'imposer en utilisant à la fois ses dents et ses griffes.

En cas de dispute territoriale, la bagarre est généralement utilisée en dernier ressort, car souvent très dangereuse. Les mâles entiers sont plus enclins à se battre physiquement pour leur territoire que les femelles et les mâles castrés.

Question habituelle

Q Mon chat ne veut plus sortir de la maison et a perdu son entrain habituel. Il a également commencé à faire ses besoins dans toute la maison, ce qui ne lui ressemble pas. Qu'a-t-il ?

R Les chats vivant dans la rue peuvent intimider les autres chats du quartier et les dissuader de sortir, créant chez eux un état dépressif et d'autres problèmes comportementaux. Avec vos voisins, montez la garde à tour de rôle et laissez vos chats prendre un peu l'air. Un chat intimidé n'a plus confiance pour aller dehors. Accompagnez-le lors de ses premières sorties : votre présence le rassurera.

La socialisation

Il est plus simple d'accueillir un petit félin chez soi en l'absence d'autres animaux domestiques. Mais si vous en possédez déjà, vous pouvez quand même socialiser votre nouveau compagnon avec succès, à condition de vous y prendre correctement et de vous armer de patience. Les éléments dont le nouveau venu a besoin pour que lui et l'occupant (ou les occupants) de la maison cohabitent harmonieusement figurent ci-contre.

Critères

- ✓ période d'adaptation
- ✓ que son maître le respecte
- ✓ espace personnel
- ✓ intimité
- ✓ présentation aux autres personnes et animaux
- ✓ zones de sécurité
- ✓ endroits tranquilles pour se reposer
- ✓ accès facile et sûr à la nourriture, à l'eau et au bac à litière

Habituer son chat au contact humain

Comme il a été dit précédemment [voir pp. 54-57], lorsque vous accueillez votre nouveau compagnon chez vous, vous devez le laisser venir à vous et non lui imposer votre présence. Le chat ne doit pas se sentir menacé. La meilleure façon d'obtenir les faveurs de votre félin est de bien le nourrir et de lui assurer des lieux de repos confortables, chauds et tranquilles.

Les chats élevés dans un environnement humain chaleureux et paisible sont souvent plus sociables et plus faciles à vivre que les autres. Les contacts humains dont bénéficie un chaton entre deux et sept semaines détermineront son comportement social avec les hommes à l'âge adulte. Des échanges positifs dès les premières semaines de sa vie feront de lui un animal affectueux et extraverti.

Respecter son chat

Certains chats adorent la compagnie des hommes, d'autres beaucoup moins. Entre les deux, il y a ceux qui vous témoigneront quelques marques d'affection au cours de la journée, mais iront vite vaquer à d'autres occupations. C'est à vous d'apprendre à connaître votre animal et de respecter ses pré-

Lier contact avec les humains et les autres animaux du foyer et leur faire confiance demande du temps. Alors laissez le chat venir à vous et à vos animaux familiers lorsqu'il sera prêt. Une fois qu'il verra qu'il n'y a aucun danger, il fréquentera tous les membres du foyer en posant toujours ses conditions. Ne forcez jamais un chat à établir des liens contre son gré, car vous risquez de l'apeurer et de le pousser à faire bande à part ou à recourir à des moyens défensifs.

Même un petit chien peut paraître un géant pour le chaton et lui faire très peur. La réaction négative du chaton peut inciter en retour le chien à l'attaquer ou à le poursuivre. Il est donc préférable d'enfermer l'un des deux dans une cage.

férences. Si vous recherchez énormément de contacts affectifs avec un chat, choisissez une race ou une variété particulièrement affectueuse. Mais certains chats gardent leurs distances avec les humains à cause d'une socialisation ratée dès le départ. Ce sont des chats craintifs, qui peuvent devenir progressivement plus avenants et plus affectueux si vous les approchez avec douceur et gentillesse.

Les enfants, sans le vouloir, peuvent leur causer bien des désagréments en se montrant trop bruyants, trop rudes, trop remuants et parfois cruels, alors que ces chats ont besoin de tout le contraire. C'est pourquoi vous devez absolument éduquer vos enfants, leur apprendre à respecter un chat et à le traiter comme ils aimeraient eux-mêmes être traités.

La façon dont vous tenez physiquement votre animal influence également son attitude vis-à-vis de vous. Reportez-vous aux pages 92-93 pour en savoir plus à ce sujet.

Faire cohabiter plusieurs animaux

La plupart des chats et surtout des chatons cohabitent sans trop de difficulté avec d'autres animaux domestiques (eux-mêmes correctement socialisés), à condition de leur en laisser le temps. Lorsque vous ramenez un chat à la maison, imprégnez-le un peu des odeurs de vos animaux familiers : cela facilitera les présentations et le processus de socialisation. Comment ? En frottant le chat avec un vêtement ou un tissu sur lequel vos animaux dorment (quitte même à utiliser

un peu de litière souillée avant de mettre toute la ménagerie en présence) ! Tenez vos animaux éloignés du nouveau venu dans la première heure qui suit son arrivée, puis faites les présentations en gardant toujours l'un ou l'autre des animaux enfermés dans une cage. Ne laissez pas votre chien s'exciter ou aboyer autour du chat, car celui-ci risque de s'effrayer et leur relation de prendre un mauvais départ. Généralement, un chien bien équilibré et socialisé avec d'autres animaux laissera rapidement le nouveau venu tranquille, surtout si vous lui donnez un jouet ou une friandise pour l'occuper.

Conseils

- Ne laissez pas un chat nouvellement arrivé dans la maison avec d'autres animaux si vous n'êtes pas sûr qu'ils s'entendent tous bien. Les chatons sont les plus vulnérables, surtout en présence d'un chien.
- Tenez le nouveau venu éloigné des oiseaux domestiques ou des petits mammifères. En voulant les attraper, le chat risque de leur faire très peur, même si leur vie n'est pas directement en danger. Comme vous ne pouvez pas empêcher ce comportement instinctif du chat, gardez vos animaux en sécurité dans une autre pièce.

Avec le temps et des présentations initiales correctement effectuées, des animaux que tout sépare peuvent devenir amis.

Le saviez-vous ?

Il est très rare qu'un chat adulte ne parvienne pas à accepter un chaton, si violente que soit sa réaction initiale. En général, il ne considère pas le chaton comme une menace importante, tandis qu'un autre adulte peut mettre en danger ses ressources territoriales.

Socialiser son chat avec des congénères

Une cohabitation réussie entre congénères peut prendre encore davantage de temps, ces petits félins ne se montrant pas naturellement sociables entre eux. Soyez toujours là pour surveiller les premières rencontres et ne les obligez jamais, quel que soit leur âge, à entrer en contact. Ils s'habitueront l'un à l'autre à leur propre rythme. Lorsque deux chats se rencontrent, leur comportement dépend de plusieurs facteurs :

• de l'âge du nouveau venu,
• du sexe du nouveau venu,
• de la personnalité du nouveau venu,
• de la personnalité de l'occupant.

Lors de leur première entrevue, un chaton et un chat de la maison vont certainement faire connaissance en se frottant le nez pour se renifler (c'est pourquoi, quel que soit leur âge, il est préférable que l'un soit enfermé dans une cage pour évi-

La cage est le moyen le plus sûr pour présenter deux chats l'un à l'autre. Veillez à alterner les rôles sur plusieurs séances de prise de contact, pour que ce ne soit pas toujours le même qui soit enfermé. Les attitudes de ces deux chats montrent qu'ils sont encore méfiants, et qu'il leur faudra un peu de temps supplémentaire pour s'habituer l'un à l'autre.

ter tout risque de coups de griffes). Selon sa personnalité, le chaton peut avoir peur et reculer ou au contraire faire le brave et même siffler ; le chat plus âgé peut alors, soit ignorer le comportement du chaton et simplement le renifler, soit se montrer menaçant, auquel cas vous devez intervenir. Mais si tout se passe bien, les deux félins ne tarderont pas à se désintéresser l'un de l'autre et à se tolérer mutuellement sans animosité.

Citons le cas d'un chaton femelle nouvellement arrivé, qui n'a pas compris les menaces vocales ni l'indifférence de la chatte opérée de la maison. Confiant, il voulait jouer et n'a pas cessé de la harceler jusqu'à obtenir ce qu'il voulait. Les deux félins ont fini par devenir les meilleurs amis du monde. Et, lorsque la petite chatte a grandi et donné naissance à des chatons, la chatte plus âgée a joué le rôle de sage-femme, puis de nourrice pour la portée de son amie.

Si le nouveau venu est du sexe opposé ou si les deux chats sont stérilisés, les premières rencontrent se passent mieux. Toutefois, les personnalités des deux chats jouent un rôle important dans la réussite de leur cohabitation et vous n'y pouvez rien ! Vous ne pouvez que contribuer à ce que tout se passe pour le mieux en prenant en compte les besoins et les préférences de chacun.

Laisser du temps

Veillez à ce que vos animaux reçoivent toute l'attention dont ils ont besoin. Ils ne doivent pas sentir leur sécurité ni leur statut au sein du foyer menacés par le nouvel arrivant. Chacun doit avoir son propre refuge, un endroit sûr où il sait qu'il ne sera pas dérangé : la vie collective s'en trouvera faci-

Ce chat est tellement détendu et à l'aise dans son environnement qu'il ne craint pas d'être allongé dans une position vulnérable à proximité du chien de la maison.

lité. Le chat du foyer peut mettre une à deux semaines, voire plus s'il est adulte, pour accepter le nouveau venu, mais les frictions finissent le plus souvent par se régler à l'amiable. [Consultez les pages 82-83 pour de plus amples informations sur l'introduction d'un second chat dans le foyer.]

Question habituelle

Q J'aimerais avoir un chat, mais j'ai peur que mon chien ne l'accepte pas. Que dois-je faire ?

R Un chien jaloux constitue une réelle menace pour un chat. Si vous n'avez pas assez d'autorité sur votre chien, le chat que vous accueillerez chez vous risque d'être blessé, voire tué. Mais si votre chien est bien éduqué et vous obéit, leur rencontre a des chances de bien se passer. Si vous avez l'habitude d'accorder beaucoup d'attention à votre chien, essayez de lui en accorder progressivement un peu moins, afin qu'il soit moins exigeant sur ce plan. Vous pouvez ensuite envisager d'accueillir un chat chez vous.

Lors de la première rencontre, enfermez le chat ou le chien dans une cage par mesure de sécurité. Et veillez à ne pas alimenter involontairement la jalousie de votre chien en consacrant toute votre attention au nouveau venu. Lors des premiers contacts, donnez-lui un jouet rempli de nourriture pour le distraire et lui permettre d'associer le chat à une récompense. Continuez tout au long de cette période d'adaptation – votre technique portera ses fruits.

Qu'est-ce qu'un bon maître ?

Être un bon maître signifie garder son chat heureux et en bonne santé tout au long de sa vie. Ce qui implique :

- de proposer à votre animal un régime alimentaire équilibré, adapté à son âge et le maintenant en bonne santé ;
- de vérifier que votre chat est vacciné contre les maladies félines les plus courantes ;
- de ne laisser votre chatte avoir des petits que si vous êtes sûr d'avoir des chatons bien formés et en bonne santé, et de pouvoir les faire adopter par de « bonnes familles » ;
- de faire stériliser votre animal si vous n'envisagez pas de l'utiliser à des fins de reproduction ;
- d'accepter le comportement naturel de votre chat ;
- de corriger tout comportement anormal de sa part ;
- d'avoir les moyens matériels et le temps de vous occuper correctement de votre animal ;
- de conduire votre chat chez le vétérinaire quand il est malade et donc de prévoir ce budget ;
- de pouvoir garder votre compagnon tout au long de sa vie, sauf si des raisons valables vous en empêchent [voir encadré de la page ci-contre sur la recherche d'un nouveau foyer] ;
- de toiletter votre chat et de lui administrer les traitements antiparasitaires nécessaires ;

Conseil

Les chats se sentent plus à l'aise dans une maison où règnent le calme et l'harmonie et où les imprévus sont rares. Les animaux sentent tout de suite s'il y a de la tension dans l'air et cela les perturbe. Ils réagissent en s'éloignant ou, s'ils n'en ont pas la possibilité, en devenant renfermés et craintifs et/ou en tombant malades.

- d'établir une routine quotidienne qui convienne à votre animal ; changer sans cesse ses heures de repas et vos heures de sortie peut rapidement le perturber et l'obliger à afficher un comportement que vous jugerez anormal ;
- de le traiter toujours avec douceur et respect ;
- de ne jamais lui infliger des punitions physiques ;
- de ne pas chercher dans votre chat un trop grand soutien psychologique ou affectif, ce qui nuirait à sa santé ;
- d'identifier ce qu'il aime et ce qu'il n'aime pas.

Les chats sont de petite taille par rapport aux humains. Ils se sentent vulnérables en face d'un être plus grand qu'eux, à moins d'être en totale confiance avec lui. Pour ceux qui ont été maltraités, se sentir en sécurité est essentiel. C'est pourquoi un chat que vous fixez du regard, même d'un regard avenant, peut juger, à tort, votre comportement menaçant. Le contact visuel est l'un des premiers signes révélant que le chat est prêt à des échanges avec vous.

Le saviez-vous ?

Les chats clignent des yeux et les ferment à demi lorsqu'ils établissent un contact visuel accidentel. Pour nouer des liens d'amitié avec un chat que vous ne connaissez pas, faites de même quand vous rencontrez son regard. Même les chats qui connaissent bien leur maître n'aiment pas être regardés fixement. Bien sûr, ils s'y habituent en vivant à nos côtés, mais un regard fixe et prolongé peut les mettre mal à l'aise et les obliger à détourner la tête. Pour se sentir mieux, ils ont également tendance à fermer les yeux. S'ils se sentent gênés mais pas suffisamment menacés pour se sauver, ils ferment les yeux comme s'ils se disaient : « Si je ne te vois pas, tu ne me vois pas. »

Donnez à votre chat des jouets avec lesquels il aime jouer tout seul : il s'ennuiera moins pendant les moments où vous n'êtes pas disponible pour vous occuper de lui.

Les chats mémorisent très vite leurs heures de repas et les anticipent. Si vous déréglez leur routine en leur donnant à manger à n'importe quelle heure, ils peuvent développer des troubles liés à l'anxiété.

Trouver un nouveau foyer pour son chat

Pour diverses raisons, vous pouvez constater que votre nouveau compagnon ne s'habitue pas à votre style de vie, en dépit de tous vos efforts. Il est malheureux – de nombreux signes le prouvent – et vous aussi de le voir ainsi. Il est alors temps de faire le point. D'abord, pourriez-vous faire quelque chose pour améliorer la situation en vous aidant des conseils prodigués dans ce livre ? Le bien-être du chat étant primordial, si vous n'êtes pas en mesure de résoudre le problème rapidement, il est préférable de songer à lui trouver un nouveau foyer, susceptible de le rendre vraiment heureux. Et si vous savez que votre chat est heureux, même avec d'autres maîtres, vous le serez aussi. Ne considérez pas cette démarche comme le résultat d'un échec de votre part, mais comme une solution positive.

Les refuges et les foyers d'accueil vous donneront toutes les informations nécessaires sur ce qu'il faut entreprendre pour trouver un foyer idéal à votre chat. Si vous envisagez d'acquérir plus tard un autre chat, réfléchissez vraiment à celui qui s'adapterait le mieux à votre situation.

Dois-je prendre un second chat ?

De nombreux maîtres décident d'acquérir un second chat ou chaton pour tenir compagnie au premier pendant leur absence. Cette solution peut sembler idéale, mais la réalité est tout autre : le chat du foyer voit généralement d'un mauvais œil l'arrivée d'un compagnon de jeu. Les chats étant des créatures naturellement solitaires, la plupart n'ont pas besoin d'un congénère. N'est-ce pas plutôt à vous que vous voulez faire plaisir ?

Une fois qu'ils se connaissent bien et sont à l'aise ensemble, les chats jouent à se bagarrer pour renforcer leurs liens et mieux connaître leurs points forts respectifs.

Est-ce bien raisonnable ?

Avant de vous décider à acquérir un second chat, posez-vous les questions suivantes. Si vous pouvez répondre « oui » à toutes, alors n'hésitez pas.

- Aurez-vous le temps d'aider les deux chats à se connaître et à s'accepter ?
- Pourrez-vous faire face aux bouleversements que représente l'arrivée d'un nouveau chat dans la maison ?
- Pourrez-vous supporter financièrement le coût d'un second chat (nourriture, vétérinaire, pension de vacances) ?
- Aurez-vous suffisamment d'espace et d'installations pour deux chats ?
- Aurez-vous le temps de vous occuper de deux chats ?
- Saurez-vous concrètement et patiemment faire face à d'éventuels problèmes de comportement ?
- Aimez-vous les défis ?

Introduire le nouveau venu

Il est vrai que les chats se tiennent compagnie en votre absence, mais seulement s'ils sont habitués l'un à l'autre. Présenter un nouvel arrivant au chat

Faits félins

- L'arrivée d'un nouveau venu peut faire peur au chat du foyer et/ou provoquer chez lui un comportement antisocial. Certains chats réagissent en urinant ou en déféquant dans la maison pour marquer leur territoire, en perdant l'appétit, en détériorant des objets, en griffant les meubles, en suçotant des vêtements, en s'automutilant ou en se léchant de façon obsessionnelle.
- Certaines races sont plus tolérantes que d'autres vis-à-vis de nouveaux congénères – le Persan, le British Shorthair, le Maine Coon et le Birman, par exemple.

du foyer n'est pas toujours si facile qu'il y paraît. Les Korats et les Ocicats, par exemple, ne tolèrent absolument pas de nouveaux congénères.

Accueillir un nouveau chat ou tout autre animal chez soi, alors que le chat de la maison règne sans partage et depuis longtemps sur son territoire, est souvent une source de problèmes. Deux chats élevés ensemble, au contraire, deviennent fréquemment des amis inséparables. Il est donc préférable d'acquérir deux chats au départ, soit des chatons du même âge ou de la même portée, soit deux chats habitués à vivre ensemble. Mais ce n'est pas toujours possible ! Reste à tenir compte du comportement naturel de ces petits félins. Introduire un nouveau venu dans la maison en toute connaissance de cause permet de limiter les tensions au minimum.

Les chats n'ont pas le même code de conduite que nous : au lieu de se sourire et de se serrer la main lors d'une première rencontre, ils ont plutôt tendance à se proférer des injures en sifflant, puis à se bagarrer. Voilà qui serait un très mauvais départ pour une relation. Il est donc important de savoir ce qu'il faut faire et ne pas faire [voir tableau ci-contre] pour éviter que la situation ne dégénère.

À FAIRE

- Suivre les conseils donnés dans le chapitre « La socialisation », pp. 76-79.

- S'attendre à ce que l'acceptation mutuelle prenne un certain temps.

- Organiser plusieurs rencontres en enfermant l'un des deux chats dans une cage pour prévenir les blessures et leur donner à tous les deux un sentiment de sécurité.

- Les laisser faire connaissance à leur propre rythme.

- Lorsque vous pensez qu'ils peuvent enfin être laissés librement ensemble, préparer une pièce offrant des endroits où chacun peut se réfugier si nécessaire, fermer la porte et déposer par terre deux écuelles remplies d'une nourriture savoureuse et éloignées l'une de l'autre. Enfin, faire entrer les chats et rester avec eux pendant qu'ils mangent. En cas de comportement hostile ou de bagarre, intervenir (laisser tomber un trousseau de clés par terre pour faire diversion, par exemple). Les repas pris ensemble sont favorables à une intégration réussie.

- Donner aux chats des bacs à litière séparés.

À NE PAS FAIRE

- Ignorer soudainement le chat de la maison au profit du nouveau venu. Le premier risque d'en souffrir psychologiquement et le second d'être entraîné dans une scène de jalousie à cause de vous.

- Les mettre en présence et les laisser se débrouiller.

- Laisser les deux chats tout seuls ensemble avant qu'ils aient fini de siffler et de cracher. Attendez la fin des hostilités pour les laisser cohabiter pendant votre absence.

- S'attendre à ce que les deux chats deviennent les meilleurs amis du monde du jour au lendemain. Certains chats ne deviennent jamais amis et se contentent de se tolérer.

Conseil

Certaines races comme le Burmese, le Balinais, le Siamois et autres Orientaux sont très dépendantes de l'homme et n'aiment pas rester seules. C'est pourquoi il est généralement préférable d'acquérir dès le départ deux chatons (pas nécessairement de la même race) qui se tiendront compagnie en votre absence.

Deux chats qui se rencontrent pour la première fois ont tendance à siffler et à cracher furieusement, mais ce comportement antisocial s'estompe avec le temps si chacun des félins possède un espace où se réfugier.

Les troubles comportementaux

Les chats domestiques peuvent parfois manifester ce que nous appelons des troubles comportementaux. Mais, du point de vue de l'animal, ce comportement, dicté par les circonstances, est tout à fait normal. C'est donc à vous d'essayer d'en comprendre la raison pour tenter, sinon de le supprimer, du moins de le rendre plus acceptable. Vous trouverez ci-contre les causes les plus courantes des problèmes comportementaux des chats.

Critères

- ✓ anxiété
- ✓ sentiment d'insécurité
- ✓ sentiment de menace
- ✓ sentiment de peur
- ✓ comportement de séduction
- ✓ saison des amours
- ✓ comportement instinctif
- ✓ dérangement passager ou maladie

Pourquoi mon chat a-t-il un comportement bizarre ?

Vu les contraintes et les conditions de vie relativement « anti-naturelles » auxquelles les chats sont soumis, il est surprenant de constater combien rares sont ceux qui se révoltent contre leur sort de félins domestiques ou qui manifestent des comportements étranges. Néanmoins, des traumatismes physiques et psychologiques peuvent occasionner des troubles du comportement. Un chat traité avec rudesse, brutalité ou cruauté peut devenir totalement déséquilibré et imprévisible, et les traumatismes physiques graves peuvent provoquer une paralysie des nerfs crâniens et entraîner la mort. Il faut également savoir que les problèmes de comportement peuvent toucher des chats trop chouchoutés et trop caressés, qui réagissent mal à une stimulation excessive de leur système nerveux.

Les médicaments et les additifs alimentaires sont aussi, parfois, à l'origine d'un comportement inhabituel du chat. Si vous avez récemment changé sa marque de nourriture ou entrepris un traitement médicamenteux, c'est une piste à ne pas négliger.

Le comportement d'un chat est toujours motivé. Si ce comportement ne vous convient pas, essayez de le canaliser autrement pour le rendre plus acceptable.

Fait félin

Les chats peuvent avoir plaisir à manifester un comportement particulier que vous jugez singulier, comme jouer avec l'eau, en particulier les gouttes d'eau qui tombent du robinet, ou nager. D'autres encore aiment la neige et la glace, détestent sortir sous la pluie, adorent se rouler sur du béton froid ou gratter les carreaux de vos fenêtres. Vous pouvez aussi avoir un chat qui recouvre la nourriture que vous lui donnez parce qu'il ne l'aime pas comme il recouvre ses fèces dans son bac à litière, ou un chat qui boude en vous tournant le dos.

Griffer les meubles est le comportement qui rend le propriétaire du chat le plus furieux, mais c'est pourtant l'un des plus faciles à éviter [voir ci-dessous].

Conseil

Placez le griffoir dans un endroit fréquenté par le chat et ne le remplacez pas si vous le trouvez défraîchi – c'est dans cet état que les chats le préfèrent car il est d'une intimité réconfortante et imprégné de leur odeur.

Quant à l'arrivée dans la maison d'un autre animal ou d'un bébé, elle peut effrayer le chat du foyer ou lui faire adopter un comportement antisocial. D'où l'importance de « soigner » les premiers échanges [voir pp. 76-79 et 82-83].

Griffer les meubles

Les chats adorent griffer les bras des fauteuils et des canapés, et grimper aux rideaux pour s'y cacher. Ils ne savent évidemment pas que ces comportements sont inacceptables pour leur maître. Alors donnez à votre animal la possibilité de faire ses griffes et de se cacher en mettant à sa disposition :

• un griffoir solide que vous avez fabriqué vous-même ou acheté dans le commerce (frottez-le avec de l'herbe-aux-chats pour inciter votre animal à l'utiliser) ; si votre chat aime grimper, choisissez un espace multifonction où il pourra à la fois jouer et faire ses griffes, ou un arbre à chat ;
• des boîtes en carton pour se cacher ;
• de nombreux jouets.

Si nécessaire, interdisez-lui l'accès à une ou plusieurs pièces contenant des meubles de valeur et des tissus d'ameublement.

Uriner ou déféquer dans la maison

Il est important de savoir si le comportement du chat est lié à un marquage de son territoire ou s'il s'agit simplement d'un comportement inadapté qui peut avoir plusieurs causes :

• votre chat n'aime pas l'endroit où son bac à litière est placé – trop près de son écuelle ou de son couchage, par exemple ;
• il n'aime pas sa litière ; sachez que certains chats n'apprécient que les bouchons à base de pin, par exemple ;
• son bac à litière est trop petit pour qu'il y soit à l'aise ;

Un chat qui marque son territoire ne dépose qu'une faible quantité d'urine par rapport au volume émis quand il s'accroupit pour uriner.

De charmants voisins, aux petits soins pour votre chat et/ou qui n'hésitent pas à le nourrir, peuvent encourager votre compagnon à fuguer. Même s'ils ont les meilleures intentions du monde, il est préférable de leur dire gentiment d'arrêter de s'occuper de votre chat en soulignant que c'est pour sa sécurité et sa santé.

• sa litière n'est pas assez propre.

Un comportement impropre dans ce domaine est assez facile à corriger, contrairement au marquage, dont la cause n'est pas toujours facile à identifier. Lorsqu'un chat dépose de l'urine ou des fèces dans toute la maison, c'est le signe qu'il ne se sent pas en sécurité dans son territoire, voire qu'il se sent en danger. S'il laisse ses déjections dans des endroits bien en vue, c'est pour montrer que ce territoire est le sien et mettre en garde les intrus – des congénères, d'autres animaux ou des humains du foyer perçus comme menaçants.

Citons le cas d'une femme mariée qui ne comprenait pas pourquoi son chat, jusque-là très propre, s'était mis à uriner et à déféquer sur son lit. Elle apprit plus tard que son époux avait une liaison adultère. Après que les deux époux se furent séparés, le comportement de marquage du chat cessa et l'animal retourna normalement dans son bac. L'épouse en déduisit que son chat refusait l'odeur dont son mari était imprégné, et qu'il sentit sa tranquillité menacée par la présence subliminale de l'intruse.

Pour aider votre chat à se sentir davantage en sécurité dans sa maison, consultez les pages 22-23, 46-57 et 80-81.

Fuguer et se bagarrer

Après avoir atteint leur maturité sexuelle, les chats non stérilisés feront tout pour s'échapper de la maison et s'accoupler. Si vous les en empêchez, leur frustration sera telle qu'elle entraînera toutes sortes de problèmes comportementaux – une recherche d'attention constante, la manie de faire ses besoins dans toute la maison, une agressivité et des miaulements incessants. Les fugues peuvent devenir un vrai problème pour les propriétaires de mâles entiers, tandis que ceux de femelles non opérées voient des mâles rôder sans cesse autour de la maison et du jardin à la saison des amours. Les fugues peuvent aussi occasionner des troubles de santé plus ou moins graves et plus ou moins coûteux à traiter, car elles impliquent des bagarres [voir pp. 74-75], sources de blessures et de contamination, sans compter l'inquiétude qu'elles suscitent chez le maître.

Conseils

• Une idée astucieuse : mettez deux bacs à litière à la disposition de votre chat, pour qu'il puisse utiliser la litière propre quand l'autre sera sale.

• Les maîtres ont tendance à mettre la litière et l'écuelle trop près l'une de l'autre, alors que les chats, très exigeants sur la propreté, n'aiment pas manger tout près de leur bac à litière. Certains animaux s'en accommodent, mais d'autres en viennent à faire leurs besoins ailleurs dans la maison.

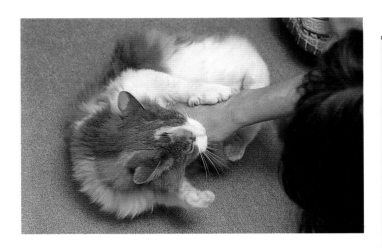

*Certains chats paniquent et ont une réaction de défense si vous les touchez
sur des zones sensibles de leur corps (tête, ventre, pattes). Se sentant attaqués,
ils essaient d'éloigner votre main en la mordant et en la griffant.
Il est donc préférable de vous abstenir de toucher ces endroits vulnérables,
sauf si vous connaissez bien votre chat et qu'il a totalement confiance en vous.*

Question habituelle

Q Pourquoi mon chat siffle-t-il contre l'un de mes enfants pour ensuite s'en aller et se mettre à l'abri ?

R Votre enfant l'embête certainement, soit physiquement, soit en criant trop fort, et le chat a pris l'habitude de le considérer comme une menace. Si vous voulez changer l'attitude de l'animal vis-à-vis de l'enfant, apprenez à votre fils ou à votre fille à respecter le chat, à le manipuler correctement, à se conduire plus calmement autour de lui et à lui parler doucement. L'enfant doit laisser l'animal tranquille jusqu'à ce que ce dernier ne se sente plus en danger et l'approche de son plein gré, totalement confiant, ce qui nécessite souvent beaucoup de temps.

Mordre et griffer

Les chats domestiques deviennent rarement agressifs, à moins d'être constamment importunés ou maltraités. Ils peuvent parfois réagir violemment si vous les touchez brusquement alors qu'ils sont en train de dormir, ce qui les effraie, ou s'ils surveillent un chien menaçant ou un aspirateur bruyant au moment où vous essayez de les prendre dans vos bras : ils se croient attaqués. Ce comportement est une

*Lorsqu'un chat fait le gros
dos, hérisse ses poils
et siffle fort,
c'est qu'il a vraiment
peur de son adversaire
et met tout en œuvre
pour l'impressionner.*

*L'attitude de ce chat montre qu'il n'est pas vraiment disposé
à passer à l'attaque ; il espère plutôt faire battre en retraite
son adversaire par ses sifflements et sa posture d'intimidation.*

Le saviez-vous ?

Un chat qui souffre ou ne se sent pas bien peut manifester une agressivité inhabituelle si vous le manipulez ou le dérangez pendant son sommeil. Ce type de comportement anormal doit faire l'objet d'une visite chez le vétérinaire.

*Si vous ignorez un chat qui essaie d'attirer votre attention,
il finira par se lasser et cherchera autre chose pour s'occuper.*

Une odeur familière

Si votre chat souffre de problèmes de comportement à la maison, essayez un diffuseur électrique de phéromones (en vente dans les animaleries) qui répand dans l'atmosphère des phéromones félines de synthèse. Ce genre de dispositif peut aider le chat à prendre ses marques et à se sentir plus en sécurité dans un environnement nouveau ou perturbé.

Il est souvent difficile de corriger ces comportements puisqu'il s'agit de réduire l'anxiété de l'animal. Imaginons que vous travailliez à l'extérieur toute la journée et que votre chat ne supporte pas de rester seul. Vous pouvez :

• imprégner un jouet doux d'herbe-aux-chats avec lequel votre félin pourra jouer et contre lequel il se pelotonnera pour se sécuriser (les animaleries proposent même des jouets garnis d'herbe-aux-chats) ; certains chats aiment même avoir la radio allumée en fond sonore ;

• envisager une garde à domicile ;

• mettre tous les jours votre chat en pension pour qu'il soit constamment entouré ;

• essayer de travailler le plus possible chez vous ;

• faire adopter votre animal par quelqu'un qui reste toute la journée à la maison ;

• acquérir un second chat pour lui tenir compagnie.

Toutes ces solutions ont leurs inconvénients. Celle qui convient dépend de votre situation et de la personnalité de votre chat. Alors procédez par élimination et retenez la plus satisfaisante.

Chercher à attirer l'attention

Les chats qui veulent que leur maître s'intéresse à eux savent très vite quels comportements adopter pour attirer leur attention. Certains renversent ou font tomber des objets, sachant que leur maître va se précipiter pour voir ce qui se passe, d'autres miaulent, se frottent contre ses jambes et se dressent sur leurs pattes postérieures. Si vous lisez un journal, votre chat peut se mettre à jouer avec ou se coucher dessus pour attirer votre attention.

Le meilleur moyen de résoudre le problème d'une façon adaptée au caractère du chat est de :

• lui donner quelque chose d'autre pour l'occuper, par exemple un jouet ;

• tenir les objets fragiles hors de sa portée ;

réaction normale, engendrée par un mécanisme de défense complexe.

Des troubles sexuels se manifestent parfois chez les chats domestiques qui ne sont pas stérilisés : ils traduisent l'intensité de leur frustration. La stérilisation apporte généralement une nette amélioration de leur comportement et de leur état de santé général.

L'anxiété de la séparation

Certains chats – en particulier certaines races comme le Siamois et le Burmese – ont terriblement besoin d'échanges avec leur maître et peuvent se retrouver dans une détresse profonde en son absence. Leur anxiété se manifeste par différents types de comportements inadaptés, par exemple des pulsions destructrices ou le besoin d'uriner et de déféquer dans la maison, voire des troubles obsessionnels tels que l'automutilation et le suçotement de matières textiles.

Laissez à votre chat des lieux à explorer : il sera agréablement occupé et donc plus heureux.

• rendre son environnement plus distrayant et plus stimulant [voir pp. 46-53] ;
• prendre l'habitude de vous occuper de votre compagnon à des moments de la journée où vous êtes sûr de pouvoir lui accorder un peu de temps afin qu'il ait sa « dose » d'attention et que vous puissiez, vous aussi, savourer sa compagnie.

Se lécher continuellement

Les chats qui s'ennuient profondément ou ont été mal éduqués peuvent tomber dans le léchage excessif. Ils font tellement leur toilette qu'ils irritent certaines parties de leur corps et peuvent se mettre à sucer fortement leurs pattes, leur queue et leurs tétines postérieures, en ronronnant et en pétrissant – signe d'une régression au stade de chaton.

Manger ou sucer un doudou

Ce comportement (similaire à celui du jeune enfant qui suce sa tétine ou un bout de tissu pour se rassurer) semble se rapprocher du précédent où le chat tète certaines parties de son corps. Il se manifeste parfois chez des félins par ailleurs équilibrés, en particulier certains Siamois. Le plus simple est d'accepter cette manie et de laisser au chat son propre doudou à suçoter. Toutefois, s'il s'agit de fibres synthétiques et que l'animal en avale de grandes quantités, cela peut provoquer une occlusion intestinale, ce qui nécessite une intervention chirurgicale.

Conseil

Essayez de ne pas autoriser votre chaton à faire des choses que vous n'apprécierez peut-être pas plus tard. Par exemple, donnez-lui toujours son écuelle par terre si vous ne voulez pas qu'il prenne goût à manger sur le plan de travail de la cuisine et en fasse son endroit préféré.

Question habituelle

Q Comment puis-je empêcher mon chat d'attraper des petits rongeurs et des oiseaux ?

R La plupart des maîtres n'aiment pas que leur chat attrape les petits rongeurs et les oiseaux, mais il est impossible de l'en empêcher, à moins de le garder toujours enfermé à l'intérieur ou dans un enclos extérieur. Vous pouvez limiter le massacre en interdisant à votre chat de sortir au petit matin (lorsque les oiseaux se réveillent et cherchent leur nourriture, ce qui les rend vulnérables) et à la tombée de la nuit (lorsque les oiseaux cherchent un endroit où passer la nuit). En défendant à votre félin de sortir aux moments les plus critiques, il tuera beaucoup moins d'oiseaux. Nourrissez les oiseaux pendant l'hiver, quand leur nourriture se fait rare, et mettez de l'eau à leur disposition. Installez les nichoirs ou les endroits où vous leur donnez à manger et à boire hors de portée des chats – à proximité d'arbres et de buissons dans lesquels ils peuvent se réfugier.

À l'aube et au crépuscule, le chat profite de la faible luminosité pour capturer ses proies.

L'ENTRETIEN DU CHAT

Prendre soin de son chat : voilà une activité qui offre de nombreux aspects dont le principal est sans doute le bonheur de tout faire pour garder cette superbe créature en bonne santé et pleinement heureuse. Il est extrêmement gratifiant de savoir que l'animal dont vous avez la responsabilité voit tous ses besoins pris en considération et satisfaits. La plupart des maîtres qui s'occupent comme il faut de leur chat éprouvent une profonde satisfaction à effectuer leurs tâches quotidiennes, qu'il s'agisse de changer la litière de leur compagnon ou de le toiletter pour que son poil reste beau. Et l'affection qu'ils reçoivent en retour – sous forme de ronronnements de plaisir, par exemple – les comble de bonheur.

Comment le prendre et le tenir ?

La façon dont vous prenez, tenez ou caressez votre chat détermine son comportement et ses réactions à votre égard. Les chats se sentent mal à l'aise et menacés s'il y a de la tension dans l'air, s'ils vous entendent parler fort ou élever la voix, si vous les caressez avec rudesse et si vous les prenez dans vos bras avec brusquerie. L'art et la manière d'approcher votre chat ne supportent aucune violence. Soyez civilisé.

Critères

✓ le caresser doucement
✓ ne pas avoir l'air tout le temps pressé
✓ être calme et à l'aise avec lui
✓ lui parler d'une voix douce

Caresser son chat

Un chat habitué aux caresses dès son plus jeune âge aime généralement être caressé, excepté sur certaines parties du corps. S'il n'a pas été manipulé correctement lorsqu'il était petit ou s'il a subi de mauvais traitements, il est plus sage de le caresser uniquement sur le dos et les flancs. Évitez de lui caresser la tête, centre de commande de tous les organes des sens, ainsi que le ventre et les pattes, zones très sensibles.

Ces petits félins aiment souvent être caressés à la base de la queue et réagissent en faisant le gros dos, mais de plaisir ! Des glandes odorantes sont situées dans cette zone, et le chat apprécie tous les gestes susceptibles de répandre sa propre odeur sur son maître. Toutefois, ne caressez la base de la queue d'un chat que si vous le connaissez bien, car certains réagissent par un geste de défense pour peu qu'on leur ait un jour tiré la queue avec cruauté ou si leur queue a été blessée. Si votre chat griffe et mord lorsque vous essayez de le caresser ou de le prendre dans vos bras, consultez les pages 84-89.

Fait félin

Vous pouvez caresser « en toute sécurité » un chat du cou jusqu'au bas du dos, même si vous ne le connaissez pas. La région de la colonne vertébrale est relativement insensible chez la plupart des félins. Si le chat vous aime et se sent à l'aise avec vous, il peut ensuite vous encourager à caresser sa tête en frottant son visage et son corps contre votre main.

L'attitude de ce chat montre qu'il n'aime pas être tenu ainsi : il éloigne sa tête du visage de l'enfant et semble inquiet. Les tentatives visant à prendre le chat et à le tenir dans les bras contre son gré sont le plus souvent vouées à l'échec.

Question habituelle

Q Quand peut-on commencer à prendre un chaton et à le tenir dans les bras ?

R Manipulez-le entre l'âge de trois et huit semaines pour l'habituer aux humains. C'est à cette période que les chatons peuvent commencer à distinguer ce qui est sûr de ce qui est dangereux. Commencez à le toiletter tout en douceur, surtout s'il est à poil long, en portant une attention particulière à l'examen de ses oreilles et de sa bouche. L'éduquer dès cet âge est fondamental.

Savoir prendre et tenir son chat

Voici la meilleure façon de procéder. Avec l'une de vos mains, saisissez votre chat doucement sous sa cage thoracique, l'autre main soutenant son arrière-train. Tenez-le assez près de votre corps pour qu'il se sente en sécurité, mais pas trop serré pour qu'il n'ait pas l'impression d'être prisonnier et ne tente pas de s'échapper.

Portez le chat en mettant votre main sous sa cage thoracique, vos doigts entre ses pattes antérieures et en le gardant contre votre corps. Il vous reste une main libre pour tenir sa tête ou le retenir par la peau du cou si nécessaire.

Certaines personnes trouvent plus facile de tenir délicatement le chat sous le ventre d'une main et de poser l'autre en travers de son dos par mesure de sécurité (certains chats préfèrent également ce type de maintien).

En observant l'expression de votre chat, vous pouvez beaucoup apprendre sur ce qu'il ressent. L'inquiétude se lit sur la face du chat ci-dessus. Ses oreilles ont pivoté vers l'arrière : ce qui se passe derrière lui l'inquiète. Comme son maître le tient, il ne peut guère contrôler la situation et ne pas pouvoir s'échapper augmente encore sa peur. Si votre chat affiche cette expression quand vous le tenez, posez-le délicatement par terre. Vous éviterez de vous faire griffer ou mordre par un animal qui ne voudra plus jamais être pris dans les bras.

Conseils

- Un chaton qui a été manipulé avec douceur par au moins quatre personnes différentes dans les premières semaines de sa vie sera détendu et sociable avec la plupart des humains.
- Pour habituer votre chat à être pris dans les bras, commencez par le faire en position assise. Prenez-le et tenez-le un court instant au début, puis reposez-le. Manipulez-le un peu plus longtemps à chaque fois jusqu'à ce qu'il soit content de rester dans vos bras et d'être l'objet de toute votre attention, mais laissez-le toujours redescendre s'il le souhaite.
- Le chat possédant des dents pointues et des griffes acérées, il est plus sage de ne pas le prendre de force ou, si on y est contraint, de mettre des gants et de porter des vêtements à manches longues. Mieux vaut se désinfecter après une griffure. La maladie des griffures de chat est une inflammation des ganglions lymphatiques, parfois fébrile, due à une bactérie (l'antibiotique est en général efficace).

Le chat et l'enfant

Des études l'ont montré : les enfants ayant grandi entourés d'animaux domestiques, et qui ont appris à traiter avec douceur et respect, ont plus de facilité à devenir des adultes bien équilibrés et responsables. Si vous êtes parent, n'est-ce pas une raison suffisante pour avoir un chat à la maison ? Mais si vous voulez établir des rapports harmonieux entre vos enfants et votre chat, vous devez respecter les règles qui suivent.

Critères

- ✓ surveiller les interactions
- ✓ apprendre aux enfants à respecter le chat
- ✓ leur montrer comment le prendre et le tenir
- ✓ encourager la formation de liens affectifs
- ✓ les faire participer à l'entretien du chat
- ✓ interdire les actes de cruauté

Les chats aiment-ils les enfants ?

Il est surprenant de voir combien certains chats peuvent se montrer tolérants vis-à-vis de bébés ou de jeunes enfants, mais il est plus raisonnable de ne pas tester les limites de leur patience ! Vous devez apprendre à vos enfants à ne pas déranger un chat qui dort dans son panier, surtout en se précipitant dessus, car ils risquent de se faire griffer. Sachez qu'il est normal pour un chat de dormir les deux tiers de la journée.

Les rapports entre les enfants et les chats

Dissuadez vos jeunes enfants de prendre dans leurs bras des chats ou des chatons, car ils risquent de les serrer trop fort et de les traumatiser à jamais. En revanche, incitez le chat à monter sur les genoux de l'enfant et à y rester pour être câliné. Montrez à vos enfants comment prendre, tenir et caresser le chat [voir p. 93]. L'animal ne doit jamais se sentir prisonnier, alors veillez à ce que l'enfant comprenne qu'il doit le laisser libre de s'en aller quand il veut.

Empêchez tous les enfants, surtout les plus jeunes, de pourchasser le chat de la maison, car l'animal risque d'être dégoûté à jamais des jeunes enfants. De même, votre compagnon doit pouvoir se reposer tranquillement sans être sans cesse importuné – le manque de sommeil favorisant la nervosité, la peur ou tout comportement imprévisible. Réservez-lui de nombreux coins où il peut aller se réfugier pour échapper aux bambins – des endroits en hauteur, de préférence.

Si les premiers contacts entre l'enfant et le chat se sont bien passés, ils deviendront certainement de grands amis. La plupart des chats se lient rapidement avec les enfants et semblent heureux de jouer avec eux, de se blottir contre eux pour dormir ou regarder la télé et de les « aider » à faire leurs devoirs.

Fait félin

Les chats qui, dès leur plus jeune âge, ont été convenablement socialisés avec les humains et qui sont traités correctement peuvent aisément devenir les compagnons de personnes seules ou les « enfants » de couples sans enfants.

Les enfants ont parfois du mal à dire ce qu'ils ressentent à leurs parents ou à une autre personne. Ils peuvent donc trouver chez le chat un confident, une source de réconfort et d'amitié, car un animal n'est ni juge ni censeur.

Question habituelle

Q Comment dois-je préparer mon chat à l'arrivée d'un nouvel enfant ?

R Les chats et les bébés semblent avoir donné naissance à plus de légendes urbaines qu'aucun autre couple animal-homme. Certaines sages-femmes ou infirmières, voire certains médecins semblent vouloir perpétuer des récits malheureux autour du chat et du bébé, mais restons-en au bon sens. Si votre chat est habitué à recevoir beaucoup d'attention de votre part, n'oubliez pas qu'à l'arrivée de votre bébé vous n'allez plus pouvoir lui consacrer autant de temps qu'auparavant. Alors apprenez-lui peu à peu à devenir moins dépendant de vous ; prenez l'habitude de vous réserver à tous les deux un moment dans la journée pour les câlins et les jeux. Votre chat attendra ce rituel avec impatience. Et donnez-lui d'autres centres d'intérêt, de nouveaux jouets, par exemple, pour qu'il apprenne à s'amuser sans vous.

Habituez votre chat à voir tout le matériel que vous préparez pour la venue du bébé dans la maison. Une fois que le bébé sera né, imprégnez de son odeur un bout de chiffon propre et confiez ce chiffon à quelqu'un qui puisse aller le balader sur votre chat, son couchage, les meubles et le sol de la maison : l'animal sera moins surpris à l'arrivée du bébé. Laissez votre animal accueillir le nouveau venu et vous « aider » à vous occuper de lui ; prenez les choses calmement et les premiers contacts se passeront bien.

Pour lè chat, un enfant n'a pas la même démarche, le même langage ni la même odeur qu'un adulte. Si les premiers contacts ont été positifs, l'enfant et le chat s'entendront à merveille.

Le saviez-vous ?

On croit souvent, à tort, que les chats aiment dormir dans le berceau des nouveau-nés et risquent de les étouffer durant leur sommeil. Mais ce genre de comportement est fort improbable. Toujours est-il que, si vous voulez avoir l'esprit tranquille, vous pouvez utiliser par précaution un filet spécial (disponible dans les magasins pour bébés) et interdire à votre chat l'accès à la pièce où dort votre bébé.

L'hygiène

Les jeunes enfants ont tendance à mettre leurs doigts dans leur bouche à la moindre occasion. C'est pourquoi vous devez veiller à ce qu'ils se lavent les mains après avoir manipulé un chat (ou d'autres animaux, d'ailleurs) pour réduire les risques d'infection (teigne, ténia ou toxoplasmose), si minimes soient-ils. Ces mesures sont particulièrement importantes si vous possédez un jardin fréquenté à la fois par votre chat et vos enfants. En effet, les chats adorent faire leurs besoins dans les bacs à sable, exactement là où les enfants aiment jouer, et dans les parterres de fleurs.

Alors couvrez les bacs à sable lorsque vos bambins n'y jouent pas pour empêcher votre chat de les prendre pour des toilettes.

La toxoplasmose

Il est dangereux pour une femme enceinte ou une mère de famille de contracter la toxoplasmose. C'est une maladie bénigne si l'individu contaminé possède des défenses immunitaires suffisantes, ce qui n'est pas encore le cas du fœtus ou du jeune enfant.

Le *Toxoplasma gondii* est un parasite microscopique susceptible de provoquer de nombreuses malformations, en particulier oculaires, chez le fœtus. (On le trouve également dans la viande crue – essentiellement le porc et le poulet – mais il est généralement détruit par la cuisson.) Les chats contractent l'infection en mangeant de la viande crue (leurs proies). Les œufs des parasites qui se sont développés chez l'animal se retrouvent dans les déjections sous forme de kystes. Ces œufs, ingérés par l'homme, éclosent pour donner des larves, qui sont à l'origine des symptômes de la toxoplasmose.

Certains docteurs et sages-femmes exagèrent un peu en recommandant aux femmes enceintes de se débarrasser des chats de la maison pour éviter tout risque de contamination. C'est une mesure inutile si vous respectez les règles d'hygiène et portez des gants en manipulant votre chat et en nettoyant son bac à litière, ainsi qu'en jardinant. Les risques de contracter la toxoplasmose sont plus importants quand vous manipulez de la viande crue et des légumes cultivés dans un sol contaminé ou quand vous mangez de la viande qui n'a pas été assez cuite.

Si vous êtes enceinte, demandez à votre médecin de vous prescrire un examen de sang pour savoir si vous êtes immunisée contre la toxoplasmose ; si vous l'êtes, les risques de transmission de la maladie au fœtus sont nuls ; sinon, respectez des règles d'hygiène très strictes dans votre cuisine et autour de votre chat. Vermifuger régulièrement son animal permet aussi de réduire le risque de contracter la maladie.

Les chats et les enfants peuvent s'amuser beaucoup ensemble, à condition que vous ayez appris à vos enfants qu'il est préférable de ne pas forcer le chat à jouer.

Fait félin

Les chats ne comprennent pas pourquoi vous les punissez quand ils font les grosses pattes lorsque vous les caressez. Si ce sont vos enfants qui les caressent, il est plus sage de poser une couverture épaisse sur leurs genoux pour éviter tout désagrément des deux côtés. Les griffures et les morsures étant inévitables lorsque l'on possède un chat, veillez à ce que toute la famille soit à jour de la vaccination contre le tétanos (et la rage, si nécessaire).

Les soins de routine

Les chats savent très bien s'occuper d'eux, n'est-ce pas ? Oui, dans une certaine mesure, mais les chats domestiques ont besoin de leur maître pour vivre heureux, épanouis et en bonne santé. Si vous voulez que votre chat conserve une bonne santé physique et psychologique, vous devez effectuer certaines tâches tous les jours, tous les mois ou tous les ans. Regardez la liste ci-contre.

Critères

- ✓ le nourrir correctement (aliments + eau)
- ✓ le toiletter
- ✓ l'éduquer convenablement
- ✓ surveiller son comportement, son urine, ses selles et son allure générale
- ✓ le maintenir actif, le faire jouer
- ✓ contrôler ses fonctions vitales (pouls, respiration, température)
- ✓ le traiter contre les parasites
- ✓ le faire vacciner

Surveiller son poids

Les chats domestiques peuvent souffrir d'obésité s'ils n'ont pas une ration alimentaire quotidienne adaptée à leur sédentarité. Le surpoids peut provoquer de graves problèmes de santé et abréger la vie de l'animal. Les chats à poil long semblent parfois trop gros, mais il peut s'agir d'une illusion d'optique liée à l'importance de leur fourrure. Selon la race et la variété, le poids moyen d'un chat est de 4 kg et vous devez pouvoir sentir ses côtes au toucher sans qu'elles soient visibles. Tout écart par rapport au poids normal peut révéler l'existence d'un problème de santé.

Vérifier son collier

Si votre chat porte un collier, vérifiez-le périodiquement pour voir s'il n'est pas trop serré et, s'il s'agit d'un collier antipuces, s'il ne provoque pas des frottements ou des réactions allergiques cutanées. La croissance des chatons étant rapide, il est particulièrement important de vérifier l'ajustement du collier au moins une fois par semaine.

Examinez les urines et les selles de votre chat tous les jours pour connaître l'état de son appareil digestif ; des selles trop molles ou une envie constante d'uriner ne sont pas normales. Si ces problèmes persistent plus de 24 heures, demandez conseil à votre vétérinaire.

Comment prendre le pouls d'un chat ? En plaçant deux doigts sur l'intérieur d'une cuisse pour sentir l'artère fémorale.

Examiner les déchets de son organisme

Les signes majeurs d'un problème éventuel sont :
- une gêne en urinant et/ou en déféquant ;
- un besoin constant d'uriner et/ou de déféquer (le chat fréquente beaucoup son bac à litière, souvent sans résultat) ;
- la présence de sang dans les selles ou les urines, ou d'autres anomalies comme des selles trop molles ou trop dures ;
- des urines ou des selles moins abondantes que d'habitude ;
Tout changement qui touche ses fonctions urinaires et digestives doit être surveillé de très près et, si les troubles persistent plus de 24 heures, vous devez demander conseil à votre vétérinaire.

Surveiller son allure générale

Bien connaître son chat permet de déceler un comportement inhabituel. S'il est d'ordinaire vif et actif et apparaît soudain abattu, c'est certainement qu'il ne se sent pas bien. S'il manifeste d'autres signes pathologiques, il est préférable de le conduire chez le vétérinaire pour un bilan de santé. Dressez une liste de ses symptômes pour aider le vétérinaire à poser son diagnostic. Vous devez également être alerté si votre chat n'a pas le même comportement alimentaire que d'habitude. Il peut tout simplement ne pas apprécier une nouvelle marque de nourriture, mais le problème peut aussi être plus sérieux – affection buccale (abcès, par exemple) ou dérangement digestif qui diminue son appétit.

L'éduquer

Dans la vie de tous les jours, veillez à établir des règles pour votre chat, et à les respecter, afin qu'il distingue bien ce qui est permis de ce qui est défendu. Par exemple, si vous lui interdisez de faire ses griffes sur les meubles, ne laissez pas pendiller des jouets sur le bras d'un fauteuil, ce qui l'inciterait à enfoncer ses griffes dedans… et à trouver ce support très agréable ! Si vous avez l'habitude de lui défendre de monter sur les lits,

Fait félin

La température, la fréquence respiratoire et le pouls du chat dépendent de son âge et de la saison. Par temps chaud, ils sont plus élevés que la normale. Essayez de connaître les mesures des fonctions vitales de votre chat en les contrôlant sur une semaine (en été et en hiver), afin d'établir une moyenne en période de chaleur et en période de froid. À titre de comparaison, sachez que les mesures moyennes sont les suivantes :
- **température** : 38-39 °C ;
- **pouls** : 110-140 battements par minutes au repos (beaucoup plus chez le chaton) ;
- **fréquence respiratoire** : 20-30 respirations par minute.

Conseil

Très exigeants sur la propreté, les chats n'aiment pas manger dans des écuelles sales. Après chaque repas, jetez la nourriture qui reste et lavez l'écuelle. Même si vous recouvrez la nourriture du repas précédent de nourriture fraîche, votre chat ne sera pas dupe et la refusera certainement.

Les chats passent beaucoup de temps à faire leur toilette. Si le vôtre se montre négligent vis-à-vis de son occupation quotidienne préférée, c'est qu'il ne doit pas être dans son assiette et qu'il faut le conduire chez le vétérinaire.

ne soyez pas tenté de lui faire un jour une petite faveur, car il croirait que vous l'autorisez désormais à dormir sur votre lit. Bien sûr, veillez à ce que le reste de la famille applique également ces règles.

À événements particuliers, mesures exceptionnelles

En période de fêtes, les chats exigent une attention particulière pour ne pas être effrayés par tous ces gens et tout ce bruit autour d'eux et pour ne pas tomber malades en mangeant n'importe quoi. Les décorations festives et les arbres de Noël, par exemple, attirent beaucoup leur curiosité. Alors vérifiez que votre sapin est stable, que les guirlandes lumineuses sont reliées à un disjoncteur et que les décorations sont incassables. Certains chats sont vraiment fascinés par les guirlandes du sapin de Noël, alors si le vôtre passe le plus clair de son temps à les mordiller, il est plus prudent de les retirer de l'arbre.

Tenez le chat à l'écart de la fête en l'enfermant dans une pièce tranquille avec un couchage bien chaud, quelques jouets pour l'occuper, son bac à litière, de la nourriture et de l'eau. Allez le voir de temps en temps pour le rassurer par votre présence. Même si vous en avez envie, ne lui donnez pas des aliments auxquels il n'est pas habitué car ils risqueraient de lui causer des dérangements digestifs désagréables ou douloureux.

Quant aux feux d'artifice, la plupart des animaux en ont une peur bleue. Gardez votre chat en sécurité à l'intérieur si un feu d'artifice est organisé dans le voisinage. Laissez la télé ou la radio allumée pour couvrir le bruit assourdissant. Si vous organisez une fête avec feu d'artifice, enfermez votre chat, de préférence dans une pièce située de l'autre côté de la maison, et choisissez des feux d'artifice « silencieux ». Enfin, n'oubliez pas d'en informer préalablement vos voisins, afin qu'eux aussi puissent garder leurs animaux à l'abri chez eux.

Le saviez-vous ?

Les chats apprennent vite que certains comportements sont récompensés – par une friandise ou une permission exceptionnelle de sortir, par exemple. Ils peuvent donc manifester régulièrement ces comportements lorsqu'ils veulent quelque chose. Vous pouvez apprendre à votre animal à s'asseoir sur commande en utilisant toutes sortes de récompenses très appréciées. Sachez que vous n'obtiendrez rien en vous mettant en colère ou en le réprimandant – il risque simplement de vous en vouloir et de vous craindre à l'avenir.

BIEN S'OCCUPER DE SON CHAT

FRÉQUENCE	À FAIRE
Chaque jour	• Nettoyer ses écuelles. • Le nourrir et changer son eau. • Observer son comportement alimentaire. • Nettoyer son bac à litière et repérer d'éventuelles anomalies dans ses urines et ses selles. • Vous réserver un peu de temps avec lui pour le jeu et les caresses. • Vérifier qu'il a tout ce qu'il faut pour avoir bien chaud, selon son âge et la saison. • Le toiletter s'il est à poil long. • Vérifier l'ajustement de son collier. • Rechercher des blessures sur son corps, ses membres et ses pattes.
Chaque semaine	• Le toiletter s'il est à poil court. • Examiner ses oreilles. • Contrôler son état général (fonctions vitales) s'il est âgé. • Vérifier vos réserves (nourriture et litière) pour la semaine. • Nettoyer et désinfecter son bac à litière et changer complètement sa litière. • Le peser.
Chaque mois	• Lui administrer un vermifuge et un traitement antipuces s'il va dehors [voir p. 138]. • Vérifier son état de santé général en contrôlant les fonctions vitales [voir p. 99].

FRÉQUENCE	À FAIRE
Tous les deux mois	• Lui administrer un traitement antiparasitaire s'il reste à l'intérieur (tous les mois si vous avez aussi un chien). • Examiner et nettoyer ses dents [voir pp. 134-135 et 164].
Tous les six mois	• Lui administrer son traitement antipuces s'il est par injection. • Le conduire chez le vétérinaire s'il est âgé. • Lui faire faire ses rappels de vaccins s'il va dehors et si les chats sont nombreux dans le voisinage [voir pp. 138-139].
Une fois par an	• Le conduire chez le vétérinaire pour un bilan de santé [voir p. 138]. • Mieux adapter ses besoins nutritionnels en fonction de son âge (demandez conseil au vétérinaire). • Lui faire faire ses rappels de vaccins si c'est un chat d'appartement.

Si vous prenez le temps de comprendre le comportement normal de votre chat, vous verrez tout de suite quand il ne se sent pas bien ou montre des signes suffisamment inquiétants pour vous alerter.

S'occuper d'un chaton

Vous avez un rôle à jouer dans le développement de votre adorable petit chaton si vous voulez le voir se transformer en chat domestique parfait. Mais ce n'est pas si difficile qu'il y paraît : le bon sens, la motivation et la volonté d'appliquer certaines règles pour apprendre à votre chaton à se comporter et à se conduire correctement portent toujours leurs fruits. Tout ce qui est nécessaire au bon développement du chaton figure dans la liste ci-contre.

Critères

- ✓ patience, gentillesse et douceur
- ✓ comprendre son comportement naturel
- ✓ le conduire chez le vétérinaire si nécessaire
- ✓ l'éduquer au quotidien
- ✓ instaurer des règles et s'y tenir
- ✓ le prendre et le tenir correctement
- ✓ lui consacrer du temps
- ✓ récompenser tout comportement satisfaisant

Le sommeil

Les chats passent 60 % de leur vie à dormir. Les chatons et les chats âgés dorment davantage que les chats adultes. Il est donc normal pour un chaton de dormir beaucoup. Et il a d'autant plus besoin de reprendre des forces qu'il dépense beaucoup d'énergie en jouant comme un petit fou ! Il doit pouvoir se reposer à son gré sans être dérangé, afin d'avoir une croissance optimale pour devenir un chat adulte en bonne santé et bien équilibré.

L'alimentation

Les chatons se dépensent beaucoup physiquement et grandissent très vite. Aussi devez-vous leur apporter une nourriture adaptée à leurs besoins. Les fabricants d'aliments pour chats vous facilitent considérablement la tâche en vous proposant toute une gamme de produits spécialement formulés pour les chatons et les jeunes chats. Choisissez les mieux adaptés à l'âge de votre animal afin de satisfaire ses besoins nutritionnels. Reportez-vous aux pages 38-45 sur l'alimentation.

De premiers échanges positifs entre un enfant et un chaton sont le gage d'une affection durable. Les enfants qui aiment et respectent les chats deviendront des adultes bienveillants envers tous les animaux.

Habituez votre chaton aux contacts physiques

La façon dont vous établissez des contacts physiques avec votre chaton influencera considérablement sa manière de réagir envers vous et les autres lorsqu'il sera adulte. Mieux vous vous occuperez de votre chaton, mieux il acceptera les manipulations physiques à l'âge adulte. Essayez donc de l'examiner complètement chaque semaine, tous les jours de préférence.

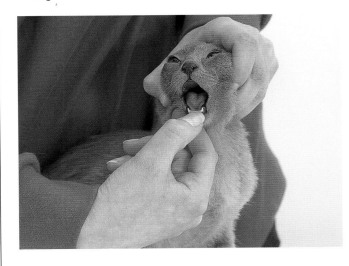

Si vous habituez votre chaton à se laisser examiner régulièrement la bouche, il acceptera mieux, une fois adulte, que vous lui laviez les dents et inspectiez l'intérieur de sa bouche. De plus, vous aurez moins de mal pour l'administration orale des médicaments.

Accoutumez votre chaton à se laisser prendre pour être examiné partout : les visites chez le vétérinaire le stresseront moins.

Apprenez-lui dès son plus jeune âge qu'on peut toucher sa tête avec délicatesse, sans l'effrayer ni lui faire mal.

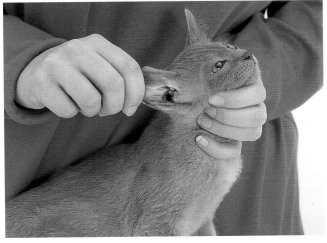

Les oreilles étant des organes sensibles, vous devez les manipuler avec précaution. Habituez votre chaton à se laisser inspecter les oreilles : cela vous facilitera la vie à tous les deux plus tard, surtout s'il se révèle un jour nécessaire de traiter l'animal pour une gale auriculaire ou d'ôter l'excès de cérumen.

Un chaton comprendra vite comment il s'appelle si vous l'appelez par son nom chaque fois que vous lui donnez à manger. Cet apprentissage fondé sur la récompense permettra ensuite à l'animal de répondre à son nom.

Conseil

Avant d'accueillir un chaton, demandez à l'éleveur ou à son ancien propriétaire de vous préparer une fiche alimentaire avec : la nature et la marque des aliments auxquels il est habitué, les heures des repas et la ration quotidienne dont il a besoin. Ainsi, vous pourrez acheter sa nourriture à l'avance et éviter de trop le nourrir ou de lui offrir une nourriture trop riche, ce qui pourrait lui causer un dérangement digestif.

Le comportement du chaton

Après dormir et manger, jouer est l'une des occupations préférées du chaton. Il peut s'amuser pendant des heures avec des jouets peu coûteux que vous n'avez pas forcément achetés dans le commerce et qu'il trouve follement amusants – des balles de ping-pong, des boîtes en carton ou de vieilles peluches, par exemple. Toutefois, veillez à ce qu'aucun élément des jouets – les yeux d'un ours en peluche, par exemple – ne puisse se briser ou se détacher facilement, car les chatons adorent mâchouiller et avaler toutes sortes de bricoles, y compris des ficelles qui pendouillent. Un dérangement digestif ou une occlusion intestinale peut s'ensuivre et nécessiter des soins ou une intervention chirurgicale d'urgence. Par conséquent, en votre absence, ne laissez jamais traîner des pelotes de laine ou des ficelles dans la maison.

De même, ne le laissez jamais s'amuser tout seul avec des jouets, type plumeaux ou cannes à pêche, qui risquent de l'étrangler si vous n'êtes pas là pour le surveiller.

Cela dit, vous pouvez vous amuser durant des heures avec votre chaton simplement en traînant un bout de ficelle par terre, que l'animal prend pour une proie.

Les félicitations, les récompenses et les punitions

Les chats aiment les félicitations et les récompenses, mais ne comprennent pas les punitions. Ils ne peuvent donc pas réagir à des réprimandes physiques ou verbales de la même façon que les êtres humains. Récompensez plutôt tout comportement jugé satisfaisant. Votre chaton ne tardera pas à comprendre que certaines attitudes font plaisir à son maître, ce qui lui vaut une récompense, et il s'efforcera de les reproduire, tandis que d'autres attitudes ne provoquent pas de réaction positive chez son maître et ne lui apportent rien de gratifiant. Si votre chaton manifeste un comportement que vous déplorez, essayez de le canaliser autrement pour le rendre acceptable [voir pp. 84-89].

Ne punissez jamais physiquement votre chaton. Non seulement vous n'obtiendrez rien, mais vous risquez de l'effrayer terriblement et il n'osera plus vous approcher par la suite. Rappelez-vous qu'instaurer la confiance prend beaucoup de temps, mais qu'il suffit de quelques secondes pour la briser par une réaction inadaptée de votre part.

L'éducation

Demain se joue maintenant : le comportement d'un chat adulte est le fruit de son éducation. Alors éduquez votre chaton correctement pour en faire un adulte sociable et équilibré, en n'oubliant jamais de récompenser sa bonne conduite. Par exemple, si vous laissez votre chaton dormir sur votre lit, sachez qu'il trouvera naturel d'y dormir une fois adulte. C'est pourquoi vous devez anticiper. Vous pouvez juger un comportement acceptable chez un chaton et moins souhaitable chez un adulte, mais votre chat ne comprendra pas votre changement d'attitude. Si vous ne voulez pas d'un chat qui dorme sur votre lit, ne laissez pas votre chaton prendre cette habitude et la considérer comme naturelle. Car si vous lui interdisez plus tard, c'est-à-dire trop tard, l'accès à votre lit, il pourra souffrir de problèmes comportementaux.

La plupart des maîtres considèrent l'éducation d'un chaton – lui inculquer de bonnes manières par des méthodes douces mais efficaces – comme un exercice mutuellement gratifiant. Comprendre la psychologie de ce petit félin permet de communiquer efficacement avec lui [voir pp. 58-75].

L'apprentissage de la propreté

Un chaton prêt pour l'adoption est généralement propre. Cependant, vous devrez lui montrer où se trouve son nouveau bac à litière une fois qu'il sera chez vous. Essayez d'utiliser les

Les jeunes chats sont vulnérables à l'extérieur, alors ne les laissez pas tout seuls avant qu'ils soient adultes et se soient familiarisés avec le jardin et ses alentours en votre présence.

mêmes types de bac et de litière que ceux auxquels il était habitué dans son ancien foyer, afin que le changement ne soit pas trop radical. Vous pouvez d'ailleurs apporter un peu de sa litière habituelle chez vous et la mettre dans son nouveau bac pour faciliter son adaptation.

L'environnement et la sécurité

La maison et le monde extérieur font de formidables cours de récréation pour les chatons qui, naturellement curieux et intrépides, peuvent aller au-devant de toutes sortes d'ennuis s'ils sont laissés à eux-mêmes. Consultez les pages 46-53 et 76-79 sur la sécurité du chat à l'intérieur comme à l'extérieur.

La découverte du monde extérieur

Après avoir été gardé à l'intérieur pendant quelques semaines, votre chaton aura pris suffisamment confiance en lui pour s'aventurer à l'extérieur. Mais comme il est encore très jeune, ne le laissez sortir que si vous êtes dans les parages pour le surveiller (et si toutes ses vaccinations sont en règle). Ne le laissez pas seul avant qu'il se soit familiarisé avec son environnement extérieur, sache s'orienter à travers le jardin et retrouver le chemin de la maison. C'est tout à fait le

Le saviez-vous ?

- Les chatons nés d'une femelle sociable avec les humains auront de fortes chances d'être aussi sociables que leur mère, parce qu'elle leur montrera qu'il n'y a rien à craindre des hommes.
- Les gènes hérités du père déterminent son degré de sociabilité. Ceux de la mère également, mais dans une moindre mesure.

moment de l'habituer à utiliser une chatière [voir « Question habituelle », p. 108].

Pour les chatons, les principaux dangers sont les chats adultes du voisinage, les chiens et la circulation routière. De plus, ces petites créatures si mignonnes risquent d'être ramassées dans la rue par des gens bien intentionnés qui, voyant un chaton tout seul, pensent qu'il a été abandonné. C'est pourquoi il est si important que les jeunes chats fassent l'objet d'une étroite surveillance, tant qu'ils ne sont pas aguerris.

Les vaccinations

Les vaccinations ont leurs partisans et leurs adversaires. Les raisons invoquées sont multiples, la fréquence des rappels constituant néanmoins le principal sujet de discorde. Après avoir pesé le pour et le contre, on peut dire – d'après l'avis des vétérinaires et en l'absence de preuves scientifiques du contraire – que les vaccinations protègent les chats des maladies graves, voire mortelles, auxquelles ils sont exposés. Certaines compagnies d'assurances ne couvrent pas les chats non vaccinés ; si les vaccinations ne sont pas à jour, elles peuvent refuser de prendre en compte une demande d'indemnisation. Alors vérifiez toujours les termes du contrat d'assurance avant de signer. Consultez les pages 138-139 pour de plus amples renseignements sur les vaccinations.

Deux chatons sont l'un pour l'autre des compagnons et des partenaires de jeu. Les « fausses » bagarres sont parfois des spectacles violents et bruyants, mais les animaux se font rarement mal. Cela fait partie du processus d'apprentissage des stratégies de défense et d'attaque. Les chatons évaluent leurs forces et leurs faiblesses respectives et sauront se défendre contre leurs congénères et d'autres agresseurs quand ils seront adultes.

Un bilan de santé chez le vétérinaire

Le vétérinaire examine le chaton pour connaître son état de santé physique.

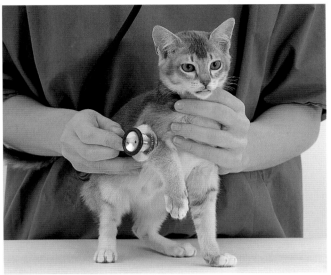

Un examen complet inclut un certain nombre de techniques diagnostiques de base, dont une auscultation au stéthoscope pour écouter les battements du cœur et donc évaluer la fonction cardiaque [voir p. 99 pour le contrôle des fonctions vitales].

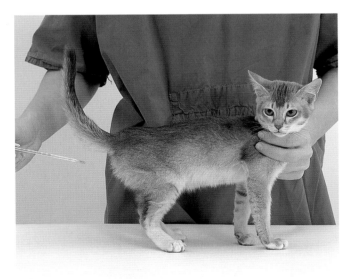

Un bilan initial inclut généralement la prise de la température rectale. Il existe des thermomètres auriculaires, plus faciles à utiliser par le maître et moins désagréables pour le chat [voir p. 99 pour le contrôle des fonctions vitales].

Votre chaton perdra ses dents de lait à l'âge de 5 mois environ. Votre vétérinaire vous dira si la poussée des dents se passe normalement et, dans le cas contraire, vous conseillera le traitement le mieux adapté.

Accoutumez votre chaton à se laisser brosser les dents afin qu'il considère cela comme normal. Il est très difficile, voire impossible, de brosser les dents d'un chat adulte qui n'y est pas habitué. [Voir le brossage des dents page 115.]

Les visites chez le vétérinaire

Conduisez régulièrement votre chaton chez le vétérinaire. Non seulement cela permet à l'animal de s'habituer à ce genre de visite et de ne pas paniquer une fois sur place, mais c'est le seul moyen de surveiller sa croissance et de repérer le plus tôt possible un éventuel problème de santé. La plupart des vétérinaires apprécient de voir leurs patients même si c'est juste pour un examen rapide et quelques caresses : ainsi l'animal ne les assimilera pas seulement à des expériences désagréables.

Les vermifuges

Les parasites internes pouvant provoquer toutes sortes de problèmes, voire la mort, il vous est fortement recommandé de demander conseil à votre vétérinaire sur la mise en place d'un traitement vermifuge pour protéger votre chaton.

Question habituelle

Q Quel est le meilleur moyen d'apprendre à mon chaton à utiliser une chatière ?

R Dès que votre chaton répond à son nom et s'est habitué à sortir sous votre surveillance, vous pouvez le familiariser avec une chatière. Certains chatons particulièrement assurés apprennent vite à pousser la chatière pour entrer et sortir à leur gré, d'autres ont besoin d'encouragements un peu plus forts. Tous étant généralement motivés par la nourriture, appâtez-les avec quelques bouchées savoureuses pour les inciter à passer à travers la chatière (dont le battant peut être maintenu ouvert au début). Habituez-le lentement mais sûrement à ce dispositif, sans chercher à le bousculer, ce qui produirait l'effet contraire. N'essayez jamais de le forcer à passer en voulant lui montrer ce qu'il doit faire, vous risquez de l'effrayer et de le dissuader à jamais d'utiliser une chatière !

En général, les chatons âgés de 4 à 16 semaines doivent être vermifugés toutes les deux semaines contre les vers ronds (ascaris) avec un vermifuge adapté. À partir de 6 mois, ils doivent être vermifugés tous les deux à six mois, selon leur style de vie, contre les vers ronds et les vers plats (ténias). Demandez toujours conseil à votre vétérinaire [voir p. 138 pour d'autres informations.].

Les traitements antipuces

Si votre chaton aime la vie au grand air, ou fréquente des congénères ou des chiens qui l'apprécient également, vous devrez le traiter régulièrement contre les puces. Ces parasites sont à l'origine de toutes sortes d'affections désagréables, dont l'anémie et la dermatose allergique, et peuvent poser des problèmes tout au long de l'année si vous ne limitez pas leur prolifération. Votre vétérinaire est le mieux placé pour vous conseiller un produit antipuces adapté à votre chaton [voir p. 138, «Lutter contre les parasites»].

La taille des griffes

Contrairement aux chats qui vivent à l'extérieur et usent naturellement leurs griffes, les chats d'intérieur peuvent avoir besoin de votre aide pour garder des griffes en bon état et de longueur normale. Il est préférable d'habituer un chat à se laisser couper les griffes dès son plus jeune âge. Dans l'idéal, la taille doit être effectuée par un spécialiste. Si vous choisissez de la faire vous-même, demandez à un vétérinaire, à un éleveur ou à un toiletteur de vous montrer comment faire. C'est le meilleur moyen d'apprendre à couper les griffes de votre chaton sans lui faire mal.

La taille des griffes est indolore si les tissus vifs de l'ongle ne sont pas atteints. Sinon, l'animal poussera un cri de douleur et saignera abondamment. De plus, fort de cette expérience malheureuse, il ne voudra plus jamais que vous lui coupiez ses griffes ! Les tissus vifs de l'ongle (un triangle rose qui correspond à la partie charnue de la matrice) sont visibles grâce à la transparence de la griffe.

Vous pouvez mettre un griffoir en bois de bonne qualité à la disposition de votre chaton (une branche d'arbre ou un morceau d'écorce solidement fixés feront également l'affaire) : cela vous évitera d'avoir à lui couper ses griffes.

Une véritable opération chirurgicale consiste à retirer définitivement la griffe et la racine. Certains professionnels refusent de la pratiquer, la jugeant contraire à l'éthique, voire barbare. Certains maîtres préfèrent pourtant cela à la détérioration de leur mobilier…

Le coupe-ongles type pince guillotine, réservé aux animaux domestiques, est le meilleur instrument pour couper les griffes d'un chat.

Conseil

Un coupe-ongles doit avoir des lames coupantes et un ressort en parfait état de fonctionnement. Nettoyez-le toujours après usage avec de l'huile de graissage et essuyez-le soigneusement avec un chiffon. Gardez-le dans un endroit sec pour l'empêcher de rouiller et de s'émousser et affûtez-le si nécessaire.

Toiletter son chat

Posséder un chat implique de le toiletter. Un toilettage doux et soigné contribue à maintenir le poil en bon état et à entretenir les liens affectifs qui existent entre l'animal et son maître. Un matériel spécial est nécessaire pour l'entretien du poil du chat. Selon le type de poil de votre compagnon, vous aurez besoin des articles énumérés ci-contre.

Fait félin

Les chats âgés sont plus raides et ont des mouvements moins aisés. Ils ont donc souvent besoin d'être aidés pour se nettoyer derrière le cou et les pattes postérieures, le léchage dans ces zones difficiles d'accès leur devenant plus difficile.

Critères

- ✓ un peigne à dents arrondies
- ✓ un peigne fin (antipuces)
- ✓ un peigne à larges dents
- ✓ un démêloir
- ✓ un gant de toilettage
- ✓ une brosse douce (pour les poils peu abondants)
- ✓ une brosse en soie naturelle
- ✓ une brosse carde
- ✓ une brosse à dents et du dentifrice
- ✓ du coton hydrophile
- ✓ un coupe-ongles type pince guillotine
- ✓ des ciseaux à bouts ronds
- ✓ du shampoing pour chats
- ✓ un tissu de soie ou de velours pour lustrer le poil
- ✓ de la poudre de toilettage ou du talc
- ✓ une boîte pour ranger le matériel de toilettage

Il existe une large gamme d'articles de toilettage adaptés à la nature, à l'état, à la longueur et à l'épaisseur du poil. Dans le sens des aiguilles d'une montre en partant d'en haut à gauche : **brosses en caoutchouc** utilisées pour un toilettage doux et minutieux des chats à poil court, le massage de leur peau et l'élimination de leurs poils morts ; **démêloir** utilisé pour ôter les nœuds dans le poil, mais un démêlage trop vigoureux risque de dégarnir totalement le chat ; **peignes** (avec différentes longueurs de dents selon la longueur du poil) utilisés pour peigner les chats à poil court et à poil long, en particulier les poils longs sous le ventre, sous le menton et entre les pattes (on doit éviter de racler la peau) ; **brosse carde** avec des dents d'acier très fines et inclinées, adaptées à tout type de poils (attention là aussi à ne pas abîmer la peau) ; **brosse double face** dotée de dents d'acier d'un côté et de soies naturelles de l'autre, à utiliser sur tout type de poils et en particulier sur la tête et la queue.

À quoi sert le toilettage ?

Les chats passent beaucoup de temps à faire leur toilette et la plupart sont capables de rester parfaitement propres sans l'aide de l'homme. Cependant, les chats à poil long, les chats infirmes, les chats arthritiques ou les chats blessés ont besoin d'être toilettés par leur maître pour garder un poil en bon état et rester psychologiquement et physiquement en bonne santé.

Les poils longs et épais – surtout les poils doux et vaporeux des Persans – ont tendance à s'emmêler et à faire des nœuds s'ils ne sont pas brossés régulièrement. Si les nœuds sont inextricables, un démêlage est trop désagréable pour le chat et la seule solution consiste à les couper ou, s'ils sont vraiment trop nombreux, à faire raser totalement l'animal par un vétérinaire. Les chats à poil long ayant également tendance à accumuler de la litière entre leurs pattes, procédez à une vérification lors du toilettage et démêlez doucement (ou coupez soigneusement) les touffes de poils mêlées à des grains de litière.

De plus, un toilettage régulier limite la quantité de poils morts dans la maison – particulièrement gênants pour les personnes qui souffrent d'allergies.

En toilettant votre chat, écartez ses poils pour voir leur racine et détecter la présence de tiques (comme ici) ou de puces (il peut s'agir des puces elles-mêmes ou de leurs excréments). Un toilettage est aussi l'occasion idéale pour examiner le chat dans son ensemble, à la recherche d'éventuelles grosseurs anormales ou affections cutanées.

Les boules de poils

Une boule de poils est une accumulation de poils dans l'estomac du chat, résultant directement du léchage. Il se forme une masse solide qui frotte contre la paroi gastrique et cette irritation incite le chat à vomir. Si la boule de poils gagne les intestins, elle peut provoquer une occlusion. L'animal souffre alors d'un manque d'appétit, de constipation et d'un abattement général. Consultez votre vétérinaire si vous suspectez une obstruction par une boule de poils. Mais un toilettage régulier permet d'éviter ce problème.

Tous les chats produisent des boules de poils, mais ceux à poil long plus que les autres en raison de la quantité de poils qu'ils ingèrent en se léchant. Avec leur langue râpeuse, qui agit comme un peigne, ils enlèvent leurs poils morts, puis les avalent. Et s'ils mangent souvent de l'herbe, c'est pour les aider à vomir leurs boules de poils.

Comment toiletter un chat à poil long ?

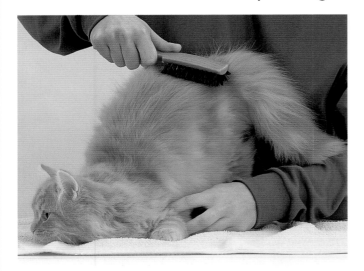

1 *Commencez par le dos : brossez dans le sens du poil et de la tête vers la queue. Vous pouvez utiliser du talc ou une poudre de toilettage si les poils de votre chat ont tendance à s'emmêler, afin de faciliter leur séparation, d'absorber le surplus de lubrifiant naturel du poil, donc d'améliorer le peignage et le brossage. Saupoudrez le produit sur le dos et faites-le pénétrer dans la fourrure avec le bout de vos doigts avant de procéder au brossage et au peignage complets.*

2 *Peignez les poils flottants sur le devant du corps, en évitant les nœuds. Ne tirez pas sur les nœuds, cela risque de lui faire mal. Démêlez-les doucement d'une main en tenant le chat sous le menton de l'autre.*

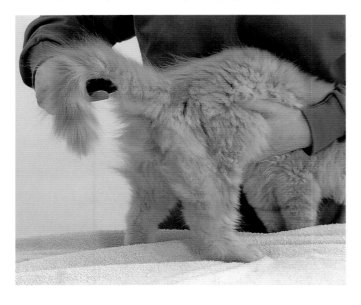

4 *Utilisez également une brosse douce pour la queue, organe très sensible.*

5 *Nettoyez les poils autour des yeux et du nez avec du coton hydrophile humidifié à l'eau tiède (pressez-le pour ôter l'excès d'eau). Même opération pour les poils situés sous la queue. Utilisez un coton différent pour chaque zone. Tamponnez avec un coton sec les endroits nettoyés.*

3 Avec une brosse douce en soie naturelle, brossez-lui doucement le ventre.

6 Une brosse à dents est idéale pour brosser la face du chat. Terminez la séance de toilettage en passant un gant sur tout le corps pour obtenir un poil lisse, soyeux et brillant. Si les griffes ont besoin d'être coupées, effectuez cette tâche en dernier [voir p. 109].

Quand toiletter son chat ?

Une fois par semaine si c'est un chat à poil court, idéalement tous les jours s'il est à poil long. Plus les toilettages sont fréquents, plus l'entretien du poil est facile : absence de nœuds, santé et brillance. Vous devez choisir le bon moment pour toiletter votre chat, c'est-à-dire lorsqu'il est réveillé (le réveiller exprès pour cela est déconseillé) et de bonne humeur (ne le manipulez pas s'il est déjà grincheux ou perturbé). S'il s'agite et se stresse lors du toilettage parce qu'il n'y a pas été habitué dès son plus jeune âge, familiarisez-le progressivement avec des toilettages rapides mais fréquents.

Ne le forcez jamais et, s'il est mal disposé, attendez qu'il soit « de meilleur poil » avant de faire une nouvelle tentative ! Donnez-lui des petites bouchées de sa nourriture favorite pour le calmer, détourner son attention et l'aider à associer le toilettage à quelque chose de gratifiant et d'agréable.

Vous pouvez avoir quelqu'un à vos côtés pour vous aider à tenir le chat, lui parler et lui offrir des friandises pendant que vous vous concentrez sur le toilettage.

Le toilettage des chats à poil court

La main suffit à toiletter la plupart des chats à poil court : passez votre main sur le chat pour détacher les poils prêts à tomber, ôter les poils morts, masser les muscles et favoriser la circulation sanguine. C'est une expérience également agréable et apaisante pour l'animal comme pour son maître.

Bien sûr, vous pouvez utiliser une brosse modérément dure pour brosser doucement, mais soigneusement, votre chat de la tête vers la queue et lui enlever ses poils morts. Portez une attention particulière à la gorge, aux aisselles et à l'intérieur des cuisses. Ensuite, passez un peigne fin de la tête à la queue pour ôter les parasites, les poussières, les peaux mortes et les poils morts restants. Puis prenez du coton hydrophile imbibé d'eau tiède pour nettoyer le nez et les yeux, ainsi que la région anale – un coton pour chaque zone. Terminez en passant le gant sur tout le corps pour obtenir un poil doux et lustré.

Conseil

Si vous pensez utiliser un shampoing humide ou sec pour le bain, procédez toujours à un essai sur un petit carré de peau, 24 heures avant de donner le bain à votre chat, pour vérifier qu'il n'est pas allergique.

En baignant votre chat, veillez à ne pas lui mettre d'eau ni de savon dans les oreilles – les chats détestent ça.

Donner le bain à son chat

Les chats n'ont généralement pas besoin de prendre un bain (d'ailleurs la plupart détestent être mouillés), sauf dans les cas suivants :

• votre chat va participer à une exposition féline ;

• sa fourrure a été largement souillée par des produits chimiques ou de l'huile ;

• il a besoin d'un shampoing avec un produit fongicide ou insecticide recommandé par le vétérinaire (dans ce cas, portez des gants en plastique).

N'utilisez que des shampoings ou après-shampoings formulés spécialement pour les chats. Les produits que vous utilisez pour vous peuvent être dangereux s'ils sont absorbés par la peau de l'animal ou ingérés accidentellement. Vous aurez certainement besoin de quelqu'un pour vous aider à baigner votre chat, même s'il est habitué aux bains. Sachez qu'il est plus facile de baigner l'animal dans l'évier.

Procédez de la façon suivante :

• remplissez l'évier au quart avec de l'eau tiède (trempez-y votre coude vous vérifier la température) et mettez le chat dedans ;

• mouillez son corps jusqu'à ce que son poil soit saturé d'eau ;

• mouillez doucement sa face avec vos mains ;

• appliquez le shampoing en massant, sauf sur la face et près des oreilles ;

• videz l'évier et remplissez-le d'eau tiède propre pour rincer votre chat ; vous pouvez fixer un tuyau de douche avec une pomme au robinet ; vous devrez changer l'eau plusieurs fois pour ôter toute trace de shampoing ;

• si vous utilisez un après-shampoing séparé, appliquez-le sur le poil en le faisant bien pénétrer ; laissez-le agir le temps nécessaire, puis rincez à nouveau abondamment ;

• séchez délicatement le chat avec une serviette épaisse, douce et chaude.

Conseil

Si les oreilles de votre chat sont sales, utilisez un morceau de coton imbibé d'eau tiède ou d'une lotion nettoyante pour ôter délicatement la saleté ou le cérumen. N'enfoncez jamais un Coton-Tige dans l'oreille d'un chat, car vous risquez d'abîmer cet organe si délicat.

Question habituelle

Q Mon chat déteste être mouillé, mais pour les expositions sa fourrure doit être parfaitement propre. Existe-t-il une autre solution que le bain ?

R Il existe des shampoings secs en poudre à appliquer et à retirer à la brosse, ainsi que des shampoings à pulvériser sur le poil et à faire pénétrer en massant. Tous deux n'exigent aucun rinçage. Alors faites votre choix !

- mettez-le dans une pièce bien chaude ou chauffée pour qu'il n'attrape pas froid et que son poil finisse de sécher ;
- attendez que le poil soit parfaitement sec, puis brossez-le et peignez-le.

Brosser les dents de son chat

Brosser régulièrement les dents de son chat permet d'éviter les caries, les affections gingivales, comme la gingivite, et la mauvaise haleine. Des brosses à dents destinées aux chats et aux chatons sont vendues dans les animaleries ou chez les vétérinaires, mais une brosse à dents normale, souple et courte, fera l'affaire. N'utilisez pas votre dentifrice (les chats détestent son goût et la mousse qu'il produit), mais un dentifrice pour chats. Pensez également à conduire votre animal chez le vétérinaire pour des bilans de santé réguliers incluant, bien sûr, un examen dentaire.

Commencez à brosser les dents de votre chat dès son plus jeune âge pour l'habituer à ce soin d'hygiène. Au début, contentez-vous de plonger la brosse dans l'eau chaude et de la mettre dans la bouche de l'animal, contre l'une de ses joues, pendant quelques secondes, tout en maintenant doucement sa gueule fermée. Rassurez-le en lui parlant et répétez l'opération avec l'autre joue. Faites cela quotidiennement en prolongeant peu à peu la durée pendant laquelle la brosse reste dans la gueule jusqu'à ce que votre chat n'appréhende plus ce moment. Essayez alors de décrire des petits cercles avec la brosse, en commençant par les dents du fond, moins sensibles que les dents de devant. En quelques semaines, vous devez pouvoir brosser toutes les dents de votre chaton sans aucune crainte de sa part. Il est alors temps d'utiliser une petite quantité de dentifrice. Sachez également que vous pouvez remplacer la brosse à dents par un doigtier ergonomique.

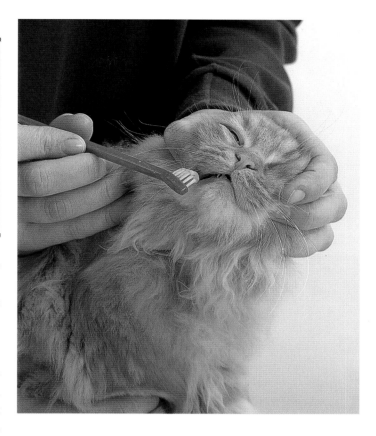

Brossez les dents de votre chat avec une brosse à dents pour enfants ou pour chats et un dentifrice pour chats (n'utilisez jamais votre dentifrice), afin de prévenir la formation du tartre, à l'origine d'affections gingivales et de caries dentaires. Si vous ne savez pas très bien comment vous y prendre, demandez à votre vétérinaire ou à son assistante de vous montrer comment faire.

Le saviez-vous ?

Donner quotidiennement à son chat une petite lamelle de viande crue à mâcher contribue à conserver ses dents et ses gencives en bonne santé. La volaille, le lapin et le bœuf (désossés, bien sûr) conviennent parfaitement.

Voyager avec son chat ou le faire garder ?

Vous serez certainement amené à quitter plus ou moins longtemps votre domicile pour partir en vacances, aller voir des amis ou de la famille, séjourner à l'hôpital, effectuer des voyages d'affaires, etc. Et cela vous obligera à prendre des dispositions pour votre chat. Quelle que soit la nature de votre déplacement, plusieurs solutions peuvent être envisagées [voir liste ci-contre].

Critères

✓ mettre son chat en pension
✓ le confier à des amis, de la famille, des voisins
✓ le faire garder à domicile
✓ le prendre avec soi

Savoir être prévoyant

Quelle que soit la solution choisie, prenez vos dispositions suffisamment à l'avance, car :

- vous allez devoir vérifier que les vaccinations de votre chat sont à jour ;
- vous aurez certainement besoin de papiers (certificats) pour votre chat si vous l'emmenez à l'étranger ;
- dans les meilleures pensions, les réservations se font longtemps à l'avance, surtout pour une période de vacances ; c'est la même chose pour les gardes à domicile ;

- vous devrez être totalement sûr que vos amis, votre famille ou vos voisins pourront s'occuper de votre chat tout au long de votre absence ;
- si vous envisagez de voyager avec votre animal, vous devrez vous renseigner pour savoir si les chats sont acceptés dans l'hébergement que vous avez choisi ;
- vous devrez habituer votre chat aux déplacements.

Les pensions

Renseignez-vous sur les pensions pour chats les plus proches de chez vous et qui ont bonne réputation auprès de vétérinaires ou de propriétaires de chats. Visitez les établissements pour vous faire votre opinion. Pour être accepté dans une

Fait félin

Les chats âgés ont souvent du mal à s'habituer à la pension. Si tel est le cas du vôtre, il est préférable que quelqu'un vienne le voir à votre domicile tous les jours, pour le surveiller et répondre à ses besoins pendant votre absence, surtout si celle-ci dure plus de deux ou trois jours. Cette solution évitera de bouleverser les habitudes de votre chat, mais n'est envisageable que s'il utilise une chatière pour aller et venir à sa guise, puisqu'il ne recevra des visites que de temps en temps. Quant au chat d'appartement, il risque de souffrir de solitude et de dépression. La garde à domicile est donc la meilleure solution pour lui.

Si vous mettez votre chat en pension, pensez à emporter son logement, son couchage et ses jouets favoris pour qu'il se sente un peu comme chez lui.

Le saviez-vous ?

Si votre chat souffre d'une maladie contagieuse comme la leucose féline [voir p. 173], les pensions ne l'accepteront pas par crainte d'une contamination. Vous devrez donc prendre d'autres dispositions. De même, si votre chat n'est pas dans son assiette le jour où vous le conduisez en pension, le propriétaire de l'établissement a le droit de refuser de le prendre.

pension, votre chat doit avoir son carnet de vaccinations à jour. Pensez-y à l'avance et ne l'oubliez pas quand vous conduirez votre animal dans la pension choisie – c'est l'une des premières choses que l'on vous demandera.

Les meilleures pensions sont particulièrement bien conçues pour accueillir nos amis les chats, chaque animal possédant son box intérieur et son enclos extérieur. La pièce d'habitation doit être propre, sèche et bien chauffée, et pouvoir contenir un couchage, deux écuelles et les effets personnels du chat. L'enclos attenant doit être sécurisé et suffisamment spacieux pour abriter le bac à litière, un griffoir, un « poste de surveillance » en hauteur, d'où le chat puisse surveiller les alentours tout en se chauffant au soleil, et un espace de jeu. Les pensions en appartement ne sont pas idéales, car le risque de transmission d'infections entre chats dus à une circulation d'air insuffisante est grand.

Les gardes à domicile

Il est particulièrement pratique, surtout si vous avez plusieurs chats, d'envisager une garde à domicile pendant votre absence. Cette solution est sans doute assez onéreuse, mais elle vous permet d'avoir l'esprit tranquille puisque vous savez vos animaux (et votre domicile) sous bonne garde. Faites appel à une agence sérieuse – dans l'idéal, recommandée par le bouche à oreille – qui choisit soigneusement son personnel et propose une assurance en cas de problème.

Si vos chats ne s'adaptent pas aux pensions, cherchez une personne de confiance, qui leur rende visite au moins deux fois par jour pour les nourrir, leur prodiguer quelques caresses et entretenir leurs bacs à litière.

Conseils

Si vous confiez votre chat à quelqu'un durant votre absence, n'oubliez pas :
- de l'informer sur l'alimentation de votre animal et l'entretien de son bac à litière ;
- de lui dire quoi faire ou non pour s'en occuper correctement ;
- de lui parler des médicaments à lui donner s'il a un traitement en cours ;
- de lui dire où il peut vous joindre en cas d'urgence ;
- de lui donner les coordonnées de votre vétérinaire ;
- de lui parler de l'assurance qui couvre votre chat.

Un chat doit toujours être transporté dans un panier ou une cage offrant une sécurité maximale. Plus il aura l'habitude de voyager, moins cela le perturbera.

Le personnel de garde à domicile est formé pour s'occuper de toutes sortes d'animaux, mais certaines personnes sont spécialisées. Alors demandez quelqu'un qui a l'habitude et l'amour des chats ! Vous trouverez des annonces dans les revues spécialisées et sur Internet.

Prendre son chat avec soi

Si vous envisagez de faire voyager régulièrement votre chat, habituez-le à la voiture ou aux transports publics dès son plus jeune âge, en commençant par de courts trajets. Renseignez-vous auprès des transports publics sur les conditions liées au transport des animaux domestiques.

Pour aider votre chat à se sentir en sécurité, mettez son couchage et ses jouets favoris dans le panier ou la cage de transport. En voiture, veillez à ce qu'il ne fasse pas trop chaud à l'intérieur et que l'aération soit suffisante, sinon votre chat risque d'être incommodé. Ne le laissez pas sortir de sa cage ou de son panier, sauf en cas d'urgence. Pensez à emporter un enclos pliant pour que votre animal se sente en sécurité dans la chambre d'hôtel en votre absence.

Voyager avec son chat à l'étranger

Renseignez-vous avant votre départ hors de France métropolitaine sur la législation en vigueur dans votre pays de destination. La plupart des pays réclament un carnet de vaccinations à jour, un certificat de bonne santé récent (moins de trois semaines) délivré par un vétérinaire et un certificat antirabique (de moins de un an et de plus de un mois). Certains pays exigent même une période de quarantaine. Avant de partir, vous devez donc vous renseigner sur :

- les conditions requises et les éventuelles mesures restrictives en vigueur dans le pays où vous vous rendez ;
- le règlement concernant l'identification de l'animal (la puce électronique est obligatoire en Angleterre), les vaccinations et les traitements antiparasitaires ;
- les délais de ces démarches pour être prêt à temps.

Question habituelle

Q Je voudrais emmener mon chat en week-end. Est-ce une bonne idée ?

R N'oubliez pas que les chats sont très attachés à leur territoire et que certains n'aiment pas beaucoup quitter leur domicile, car cela les perturbe considérablement. Les chats sociables et confiants acceptent mieux les allées et venues que les autres. Si vous connaissez bien votre chat, c'est vous qui pouvez répondre à cette question. Certains hôtels et autres types d'hébergements acceptent les animaux domestiques et ont tout ce qu'il faut pour subvenir à leurs besoins.

OPTIONS	AVANTAGES	INCONVÉNIENTS
Pension	• Quelques dispositions à prendre. • Une sécurité maximale. • Vous savez que l'on s'occupera correctement de votre chat. • Maladie ou blessure, votre chat sera soigné immédiatement.	• Un coût élevé. • Votre chat doit être vacciné. • Les chats malades ne sont pas admis. • Votre chat risque de contracter une maladie au contact d'autres animaux. • Votre chat peut s'ennuyer.
Visites à domicile (par un voisin ou un proche)	• C'est gratuit. • Votre chat reste dans son environnement familier. • Il n'y a pas de vaccinations obligatoires si vous êtes contre.	• Votre chat n'est pas surveillé constamment. • Quand il est seul, votre chat peut s'ennuyer. • Pouvez-vous vraiment compter sur cette personne pour rendre visite à votre chat au moins une fois par jour et s'en occuper correctement ? • S'il tombe malade ou se blesse, votre chat ne sera pas forcément soigné immédiatement.
Hébergement (chez un voisin ou un proche)	• C'est gratuit. • Votre chat aura de la compagnie. • Les vaccinations ne sont pas obligatoires.	• Votre chat peut s'enfuir et se perdre. • Votre chat peut ne pas s'habituer à un environnement étranger et se déprimer ou développer des problèmes comportementaux.
Garde à domicile	• Votre chat est gardé 24 heures sur 24 par une personne compétente. • Les vaccinations sont facultatives. • Votre domicile est également gardé.	• Le coût est élevé. • Une personne que vous ne connaissez pas habite chez vous.
Prendre son chat avec soi	• Vous êtes le mieux placé pour vous occuper de votre chat. • Votre chat aura tout le temps de la compagnie et, en plus, la vôtre !	• Tous les hébergements n'acceptent pas les chats. • Les démarches officielles à effectuer pour un voyage à l'étranger sont parfois coûteuses et compliquées. • Votre chat peut s'enfuir et se perdre. • Votre chat peut ne pas aimer les voyages. • Votre chat peut avoir du mal à s'adapter. • Votre chat peut contracter une maladie.

LA SANTÉ

Comme tous les mammifères, le chat possède un squelette qui protège ses organes internes et leur permet de fonctionner. Des muscles puissants attachés au squelette assurent le mouvement. Après l'accouplement et la gestation, la femelle met bas d'adorables chatons qu'elle nourrit et élève jusqu'à ce qu'ils soient autonomes.

Tous les chats, quelle que soit leur race, partagent une physiologie identique ; ils ne diffèrent que par leur morphologie, plus ou moins trapue ou élancée, et par certaines anomalies physiques de leur poil, de leurs proportions ou de leur structure osseuse, provoquées par des mutations particulières ou un élevage sélectif.

De nombreux problèmes médicaux peuvent être évités à condition d'assurer une bonne alimentation et un exercice physique suffisant à votre chat, et de savoir identifier les premiers symptômes d'une maladie.

De l'anatomie et de la physiologie du chat aux traitements antiparasitaires et aux vaccinations, en passant par la stérilisation, vous saurez tout sur ce petit félin et la meilleure façon de le garder en bonne santé.

L'organisme du chat

Le corps du chat est un chef-d'œuvre de la nature, une mécanique extraordinaire, associant beauté, grâce, force et souplesse. Si vous voulez garder votre compagnon en parfaite santé, vous devez connaître l'anatomie et le fonctionnement de son corps, apprendre à reconnaître les signes révélateurs de tel ou tel problème et savoir quoi faire en cas de maladie ou de blessure. Quelle que soit leur espèce, les membres de la famille des félidés présentent tous les caractéristiques ci-contre.

Critères

- ✓ un corps élancé, puissant et souple
- ✓ une tête courte, ronde et bien proportionnée
- ✓ des oreilles dressées, larges à la base, puis effilées
- ✓ des membres puissants, notamment à l'arrière
- ✓ un poil dense
- ✓ des moustaches
- ✓ une grande agilité pour grimper et sauter
- ✓ cinq doigts aux membres antérieurs et quatre aux membres postérieurs
- ✓ des griffes acérées et recourbées, rétractiles sur tous les doigts
- ✓ 16 dents à la mâchoire supérieure, 14 à la mâchoire inférieure

Le squelette

Le squelette du chat est beaucoup plus petit que celui de l'homme, mais constitué d'un nombre d'os supérieur – environ 245 contre 206 pour l'être humain. Il est formé d'une structure semi-rigide soutenant des structures plus souples.

L'ossature de la colonne vertébrale, des pattes, des épaules et du bassin, qui fonctionne de pair avec les muscles et les tendons, est constituée d'un système de puissants leviers qui permettent le mouvement, tandis que le crâne, la cage thoracique et le bassin protègent les organes vitaux.

Il existe quatre types d'os différents – os longs, os courts, os irréguliers et os plats – et chaque type assure une fonction spécifique. Les os sont reliés les uns aux autres par les tendons et les ligaments pour former le squelette.

L'ossature du chat

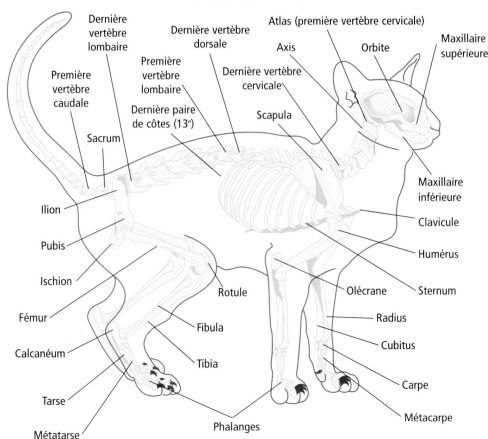

Dernière vertèbre lombaire
Dernière vertèbre dorsale
Atlas (première vertèbre cervicale)
Axis
Orbite
Maxillaire supérieure
Première vertèbre caudale
Première vertèbre lombaire
Dernière vertèbre cervicale
Dernière paire de côtes (13ᵉ)
Scapula
Sacrum
Maxillaire inférieure
Ilion
Clavicule
Pubis
Humérus
Ischion
Rotule
Olécrane
Sternum
Fémur
Fibula
Radius
Calcanéum
Cubitus
Tibia
Tarse
Carpe
Phalanges
Métacarpe
Métatarse

Les os longs

Ces os sont cylindroïdes et renferment la moelle osseuse, substance vitale où naissent les cellules sanguines. Ils correspondent aux pattes du chat ; ce sont l'humérus, le radius, le fémur (os de la cuisse), le tibia et la fibula.

Les os courts

Constitués d'un centre spongieux entouré d'os compact, ce sont les os des pieds du chat et sa rotule (point d'articulation entre le fémur et le tibia).

Les os irréguliers

Appelés ainsi en raison de leur forme irrégulière, ces os possèdent une structure similaire à celle des os courts. Une longue chaîne d'os irréguliers forme la colonne vertébrale et la queue. Les protubérances irrégulières des os de la colonne servent de points d'attache pour les différents muscles du dos de l'animal.

Les os plats

Ces os sont constitués d'une couche de tissu spongieux prise en sandwich entre deux couches d'os compact. Ce sont les os de la voûte du crâne, du bassin et de la scapula (omoplate). Des os plats et allongés forment les treize paires de côtes du chat ; ils ne sont pas creux mais renferment une quantité importante de moelle, usine à fabriquer des cellules sanguines.

Ligaments et tendons

Les **ligaments** sont de courts faisceaux de fibres conjonctives dures, qui unissent les os au niveau des articulations. D'autres ligaments sont des replis membraneux qui servent à soutenir ou à maintenir en place des organes.

Les **tendons** sont des structures conjonctives fibreuses, souples mais inextensibles, par lesquelles les muscles s'insèrent sur les os.

Les muscles

Un réseau complexe de muscles se conjugue au squelette pour donner au chat des mouvements puissants et gracieux et à son corps des lignes sinueuses. Il existe trois types de muscles : le muscle cardiaque, les muscles lisses (involontaires) et les muscles striés (volontaires).

Le muscle cardiaque

Le muscle du cœur se contracte rythmiquement de façon autonome pour faire circuler le sang dans l'organisme à travers un réseau d'artères et de veines. Celui du chat, comme celui de l'être humain, possède quatre cavités et un double système de circulation (remplissage et éjection).

Au cours d'un saut, le chat étire son corps au maximum pour réduire la distance couverte, puis amortir le choc. Les muscles puissants de ses membres postérieurs lui permettent de sauter jusqu'à cinq fois sa taille. Grâce à son remarquable sens de l'équilibre, il atterrit précisément là où il veut.

Les muscles lisses/involontaires

Situés dans les parois, par exemple, du tube digestif et des vaisseaux, ils participent, par leur contraction involontaire et inconsciente, au bon fonctionnement de l'organisme.

Les muscles striés/volontaires

Leurs fibres contractiles sont disposées en faisceaux parallèles et rattachées aux membres et à d'autres parties du squelette. Leur contraction volontaire est à l'origine des mouvements du corps de l'animal.

Les muscles volontaires sont généralement insérés sur les os, unis pour former une articulation. Les muscles extenseurs provoquent l'extension d'un membre, tandis que les muscles fléchisseurs provoquent la flexion, mouvement par lequel deux parties du corps se replient l'une sur l'autre grâce à l'actionnement de l'articulation. Les muscles abducteurs permettent à un membre ou segment de membre de s'écarter de l'axe du corps, alors que les muscles adducteurs permettent à un membre qui était écarté de retrouver sa position initiale. Le chat possède plus de 500 muscles volontaires grâce auxquels ses mouvements sont fluides et aisés.

La queue du chat est pourvue de puissants muscles à sa base et, jusqu'à son extrémité, d'une série de petits muscles et de tendons. Elle lui sert de balancier et à exprimer son humeur.

L'appareil respiratoire

La respiration fournit l'oxygène dont l'organisme a besoin pour fonctionner. L'animal inspire par son nez et sa bouche. L'air inhalé passe à travers les fosses nasales et la gorge (pharynx), avant de descendre dans la trachée et de gagner les poumons par les bronches. C'est alors le lieu des échanges gazeux : le gaz carbonique du sang passe dans les alvéoles pulmonaires, pendant que l'oxygène de l'air inspiré passe dans le sang. Le gaz carbonique est ensuite éliminé par l'expiration. La respiration est automatique : les muscles thoraciques se contractent et se relâchent, agissant comme une pompe avec les côtes et le diaphragme pour faire entrer et sortir l'air des poumons. Le rythme respiratoire varie selon les individus ; pour l'évaluer il faut toujours se poser les questions suivantes :

• quel est l'âge de l'animal ?
• est-il au repos ou en activité ?
• est-il calme ou en proie à une émotion ?
• quelle est la température de l'environnement ?

Question habituelle

Q Pourquoi le chat possède-t-il un corps si souple ?

R Sa clavicule est réduite et maintenue en place uniquement par des muscles et des ligaments. Ses épaules ne sont donc pas solidaires du reste de son squelette, ce qui lui donne une grande souplesse pour se lécher, effectuer des torsions du corps et bondir sur des objets ou des proies. L'extrême mobilité de ses vertèbres lui permet des mouvements de torsion et de flexion d'une grande amplitude.

Les principaux organes

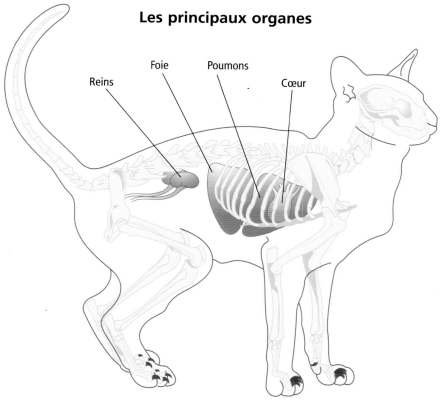

Reins · Foie · Poumons · Cœur

L'appareil circulatoire

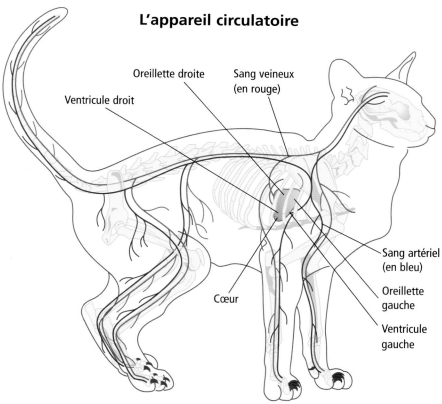

Oreillette droite
Sang veineux (en rouge)
Ventricule droit
Sang artériel (en bleu)
Oreillette gauche
Ventricule gauche
Cœur

La fréquence respiratoire d'un chat adulte en bonne santé et au repos est de 20 à 30 respirations par minute.

L'appareil circulatoire

Chaque cellule de l'organisme a besoin de substances nutritives : elles lui sont apportées par le sang. Celui-ci assure également l'évacuation des déchets. Le sang est constitué d'un liquide, le plasma, dans lequel flottent, entre autres, de nombreuses protéines, des globules rouges et blancs, des plaquettes (corpuscules contenant un agent coagulant utile en cas de blessure).

Les globules rouges servent à transporter l'oxygène et les globules blancs à collecter et transporter les impuretés et autres restes microbiens.

Le sang à travers le corps

La circulation du sang dépend du bon fonctionnement du cœur (de ses oreillettes et ventricules). Venant des poumons, où il s'est enrichi en oxygène et appauvri en gaz carbonique, le sang passe de l'oreillette au ventricule gauche, puis de la plus grosse des artères, l'aorte, aux artères et artérioles qu'elle dessert, jusqu'à un fin réseau de capillaires, où il peut distribuer sa réserve d'oxygène et de substances nutritives, quant à elles collectées au contact du tube digestif. En même temps, il se charge de tous les déchets de l'organisme (restes microbiens, cellules sanguines mortes, gaz carbonique, etc.).

Quittant le lit capillaire, le sang va de veinules en veines de plus en plus grosses, est épuré par le foie (comme il a été filtré par les reins), puis atteint l'oreillette droite, le ventricule droit, qui, en se contractant, le ramène aux poumons, où s'effectue un nouvel échange gazeux.

Pourquoi les chats ont-ils sommeil après le repas ?

Parfois, certaines parties du corps ont besoin d'un apport supplémentaire en oxygène et nutriments. Le système digestif, par exemple, particulièrement actif lors de la digestion, draine du sang supplémentaire, au détriment du cerveau et d'autres parties du corps, alors moins irriguées. D'où le besoin de sieste ressenti, après un repas, par le chat : une grande part de son énergie va à la digestion.

Le pouls

Le pouls correspond au passage de l'onde provoquée par chaque contraction cardiaque. La paroi élastique de l'aorte reçoit le sang expulsé par le ventricule gauche en pulsations qu'elle transmet aux artères situées en aval. Chez un chat adulte en bonne santé et au repos, le pouls varie entre 110 et 140 pulsations par minute (mais la température ambiante et l'état émotionnel du chat l'influencent considérablement).

L'appareil digestif

L'appareil digestif du chat est celui d'un prédateur carnivore qui déchire ou perce la chair de sa proie, puis l'avale rapidement, ne laissant pas le temps à la salive de la décomposer ni de transformer l'amidon en maltose puis en glucose. C'est pourquoi tout féculent présent dans l'alimentation du chat est de faible valeur nutritionnelle.

Les sucs gastriques du chat sont plus puissants que ceux de l'homme, puisqu'ils sont capables de ramollir des os. Ces petits félins peuvent avaler de grosses bouchées de la proie qu'ils ont tuée et régurgiter des parties qui ne sont pas décomposées rapidement dans l'estomac telles que les plumes, les poils et les os.

Au sortir de l'estomac, la nourriture partiellement digérée descend dans l'intestin grêle par l'intermédiaire d'un orifice appelé pylore. D'autres transformations métaboliques se produisent grâce aux sécrétions du pancréas et du foie. Les lipides sont décomposés et extraits, les glucides transformés (et prêts à être stockés) et les sels minéraux absorbés. Dans le tube digestif, les protéines sont métabolisées en acides aminés simples (les constituants de base des protéines), qui, ultérieurement recombinés, formeront les matériaux constitutifs du corps, nécessaires au remplacement des cellules et tissus de l'organisme.

Au sortir de l'intestin grêle, la nourriture – désormais liquide – passe dans le gros intestin où s'exerce l'action de bactéries spécialisées. L'excès d'eau participe à l'hydratation globale de l'organisme. Certains déchets passent par le côlon pour être évacués sous forme solide (fèces), d'autres par les reins sous forme liquide (urines).

Fait félin

Les chats peuvent avaler et digérer leur nourriture sans la mastiquer.

Les dents

Les dents du chat sont parfaitement adaptées à un régime carnassier et donc conçues davantage pour percer, couper et déchirer une nourriture crue, ferme et « difficile à mâcher » que pour la mastiquer ; c'est d'ailleurs ce qui contribue à les garder en bonne santé. À la naissance, les dents ne sont pas encore visibles, mais elles ne tardent pas à sortir. À l'âge de six semaines les chatons possèdent des dents de lait solides et pointues comme des aiguilles, ce qui explique que leur mère commence à refuser de les nourrir et qu'un sevrage progressif se mette en place. L'idéal est alors de leur donner des lamelles de viande crue à mastiquer. Les dents de lait du

Le crâne et les dents

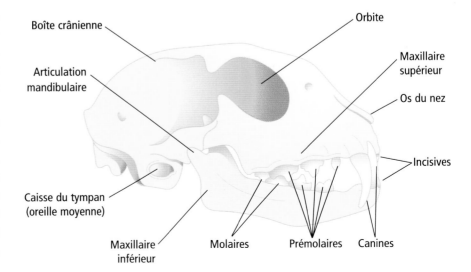

Boîte crânienne

Articulation mandibulaire

Caisse du tympan (oreille moyenne)

Maxillaire inférieur

Molaires

Prémolaires

Canines

Orbite

Maxillaire supérieur

Os du nez

Incisives

chaton sont remplacées par des dents permanentes vers l'âge de six mois.

On assiste parfois à un phénomène de « double dentition » lorsque le chaton ne perd pas ses dents de lait. Le vétérinaire peut alors juger nécessaire de les extraire, afin qu'elles n'entravent pas la pousse et l'action des dents définitives, ce qui occasionnerait, entre autres, des problèmes digestifs.

Les pattes et les griffes

L'extrémité des pattes antérieures du chat a cinq doigts – comparables à des doigts humains ; chaque doigt possède trois phalanges, excepté le pouce qui n'en possède que deux. Les minuscules phalanges situées au bout des doigts sont très spécialisées et s'articulent pour permettre l'extension ou la rétraction des griffes. Les pattes postérieures n'ont que quatre doigts chacune puisqu'elles sont dépourvues de pouce ; chaque doigt est doté de trois phalanges, plus longues que celles des pattes antérieures.

Les griffes sont constituées de kératine (comme les poils et les cheveux humains) et poussent continuellement à partir de leur matrice, comme les ongles de l'homme. Les pattes postérieures comprennent quatre griffes, les pattes antérieures cinq. La cinquième griffe sert de pouce, aidant l'animal à

Le saviez-vous ?

Le cuir (la peau dépourvue de poils) du nez et des pattes du chat est extrêmement sensible au toucher.

s'agripper lorsqu'il grimpe et à maintenir sa proie.

Des doigts supplémentaires (dits polydactyles)

Il s'agit d'une simple mutation génétique. Le chat peut avoir des doigts surnuméraires sur l'une ou plusieurs de ses pattes. Cette anomalie touche parfois les races croisées, mais n'a rien de préoccupant puisqu'elle n'affecte généralement pas la santé ni les mouvements du chat. Toutefois, si cette malformation concerne un chat de race, c'est un problème pour l'éleveur. Le chat n'est pas conforme au standard de sa race et n'a donc qu'une faible valeur. Les chats de race porteurs de cette anomalie ne doivent pas être destinés à la reproduction pour éviter de perpétuer la polydactylie.

La peau et le poil

La peau est constituée d'une couche interne, le derme, et d'une couche superficielle, l'épiderme, qui se renouvelle constamment tandis que les peaux mortes se détachent et tombent. Les glandes sudoripares servent essentiellement à éliminer les impuretés de l'organisme et très peu à réguler la température corporelle, comme chez les humains. Il existe de véritables glandes sudoripares se trouvent dans les coussinets.

Les glandes sébacées, annexées aux follicules pileux, sécrètent le sébum,

La peau et les poils

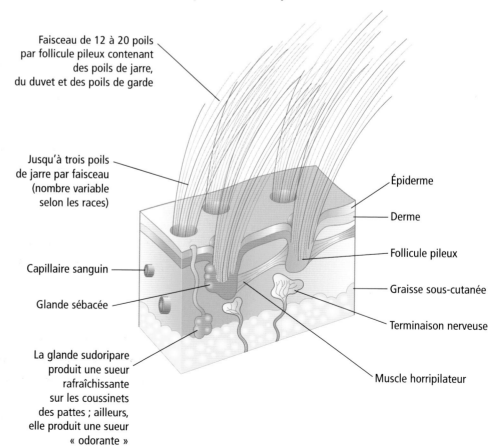

Faisceau de 12 à 20 poils par follicule pileux contenant des poils de jarre, du duvet et des poils de garde

Jusqu'à trois poils de jarre par faisceau (nombre variable selon les races)

Capillaire sanguin

Glande sébacée

La glande sudoripare produit une sueur rafraîchissante sur les coussinets des pattes ; ailleurs, elle produit une sueur « odorante »

Épiderme

Derme

Follicule pileux

Graisse sous-cutanée

Terminaison nerveuse

Muscle horripilateur

substance huileuse destinée à enduire chaque nouveau poil qui pousse pour le protéger et lui donner un aspect lustré. Des glandes odorantes se trouvent sur le front, juste au-dessus des yeux (glandes temporales), le long des lèvres (glandes périorales) et près de la base de la queue.

Les poils sont produits par l'épiderme et jouent le rôle d'un isolant. Dans certaines régions du corps, il s'agit de poils modifiés, à fonction tactile (sourcils, cils et moustaches). Il existe trois types de poils.

• Le sous-poil ou duvet constitue l'ensemble des poils les plus courts, les plus fins et les plus doux ; il contribue à conserver la chaleur du corps.

• Le poil de garde ou poil de bourre est un poil intermédiaire un peu plus raide que le duvet ; il sert à la fois à isoler et à protéger.

• Les poils de jarre forment l'ensemble des poils les plus épais, les plus longs et les plus raides. Ils recouvrent tous les autres et les protègent.

La proportion entre duvet, poil de garde et poil de jarre varie considérablement d'une race domestique à l'autre. Le chat sauvage possède envi-

ron, pour 1 000 poils de duvet, 300 poils de garde et 20 poils de jarre. Les muscles attachés aux follicules du poil de jarre redressent les poils à angle droit en cas de peur, de froid ou de maladie.

Tous les poils du chat, en particulier les poils de jarre, sont sensibles au toucher, mais les plus sensibles sont les vibrisses (moustaches, sourcils et poils

Les moustaches du chat lui permettent de savoir si l'espace dans lequel il veut se faufiler est suffisamment large : si la tête et les épaules passent, le reste du corps suivra.

tactiles de ce type sur les joues, le menton et derrière les membres antérieurs). Les moustaches sont profondément implantées dans leurs bulbes, au niveau de la lèvre supérieure, et entourées de multiples terminaisons nerveuses qui renseignent l'animal au moindre contact avec un objet extérieur et sur le moindre changement de pression atmosphérique. Les vibrisses permettent également au chat de s'orienter dans l'obscurité sans heurter d'obstacles.

Les poils morts tombent constamment (en particulier si le chat vit dans une maison dotée du chauffage central). Le chat qui passe une bonne partie de son temps dehors produit un poil d'hiver plus épais qu'il perd au printemps. Il n'est pas rare de lui voir un pelage inégal à cette saison.

Conseil

Un chat en bonne santé a la peau souple ; un chat malade ou déshydraté a la peau inélastique. Un changement de couleur soudain – la couleur normale est rose pâle – peut indiquer une maladie et nécessite un examen vétérinaire.

• **Peau blanche** : signe d'anémie causée par une infestation parasitaire, de carence alimentaire ou de choc ;

• **Peau rouge** : signe d'une maladie in-flammatoire de la peau ou des tissus sous-cutanés ;

• **Peau bleue** : signe de troubles cardiaques, de maladie respiratoire ou d'intoxication ;

• **Peau jaune** : signe de jaunisse (trouble hépatique).

Tout changement de couleur de la peau se remarque d'abord sur les oreilles, le nez, les lèvres et les gencives.

Les sens du chat

Ses perceptions et ses réactions à l'environnement dépendent des organes des sens. Ses mouvements sont sous le contrôle du système nerveux central (cerveau et moelle épinière) ; ses comportements sont en grande partie régis par le système endocrinien (glandes endocrines). Comme l'être humain, le chat perçoit ce qui l'entoure grâce aux cinq sens énumérés ci-contre.

Critères

- ✓ vue
- ✓ odorat
- ✓ ouïe
- ✓ goût
- ✓ toucher

Le système nerveux central

C'est le système qui commande et coordonne les activités quotidiennes du chat. Les informations reçues par les organes des sens y sont traitées selon leur importance : elles se traduisent par une réaction immédiate, ou sont supprimées car jugées inutiles, ou mises de côté pour une utilisation ultérieure. Le cerveau possède trois régions clairement définies : le cerveau antérieur, le mésencéphale et le cerveau postérieur.

Lorsque deux chats qui se connaissent se rencontrent, ils se reniflent. Signe de reconnaissance, c'est aussi une façon pour chacun de savoir dans quel état l'autre se trouve, où il a été, ce qu'il a fait.

Le cerveau et ses fonctions

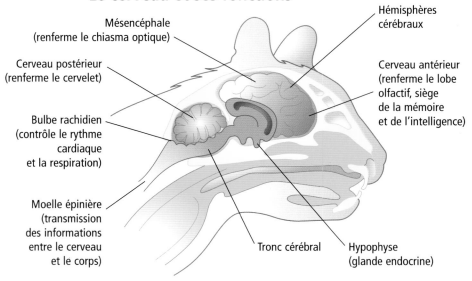

Mésencéphale
(renferme le chiasma optique)

Cerveau postérieur
(renferme le cervelet)

Bulbe rachidien
(contrôle le rythme cardiaque
et la respiration)

Moelle épinière
(transmission
des informations
entre le cerveau
et le corps)

Hémisphères cérébraux

Cerveau antérieur
(renferme le lobe olfactif, siège de la mémoire et de l'intelligence)

Tronc cérébral

Hypophyse
(glande endocrine)

Fait félin

Les coussinets du chat sont très sensibles et renferment de nombreux récepteurs tactiles. Certains chats ont un comportement étrange juste avant un tremblement de terre, comme si leurs coussinets ultrasensibles avaient détecté des vibrations.

Le système nerveux central

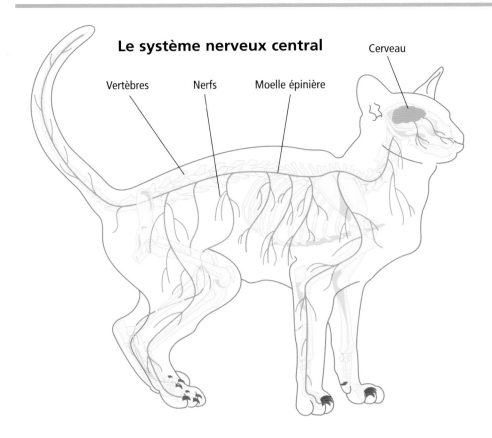

Vertèbres   Nerfs   Moelle épinière   Cerveau

La pupille de l'œil s'agrandit pour laisser passer un maximum de lumière à travers la transparence de la cornée et du cristallin, jusqu'à la rétine qui tapisse le fond de l'œil. Mais de la lumière est encore décomposée et réfléchie vers les cellules sensorielles par une couche de cellules située derrière la rétine, le tapetum lucidum, structure qui favorise la vision crépusculaire et renforce l'information transmise au cerveau par le nerf optique. Dans l'obscurité, la lumière restante donne aux yeux de l'animal une lueur iridescente verte, dorée ou rouge.

Le cerveau antérieur

Cette région commande l'odorat via le lobe olfactif, la mémoire et l'intelligence. Elle contient également le thalamus (qui transmet les impulsions provenant de la moelle épinière) et l'hypothalamus (qui contrôle les équilibres vitaux).

Le mésencéphale

Il renferme les lobes optiques et traite les signaux stimulés par la lumière ; il est donc responsable de la vision.

Le cerveau postérieur

Il comprend le cervelet, essentiel au maintien de l'équilibre. L'extrémité élargie de la moelle épinière forme le bulbe rachidien, qui contrôle les appareils respiratoire et circulatoire. L'hypophyse (qui sécrète les hormones) est située dans cette région, de même que le système limbique, centre de contrôle de la digestion. Il n'y a donc rien d'étonnant à ce que la survie du chat dépende de son cerveau postérieur.

La vue

Le chat se contente d'un sixième de la lumière dont l'homme a besoin pour distinguer les mêmes formes et les mêmes mouvements. Ses yeux placés sur le devant de la tête couvrent le même champ de vision. Il voit en relief, comme l'homme, mais sa vision stéréoscopique est plus performante, ce qui lui permet d'évaluer les distances avec davantage de précision quand il doit sauter ou bondir sur sa proie.

Ce petit animal a de grands yeux. Leur mobilité à l'intérieur de leurs orbites profondes est relativement

Question habituelle

Q Pourquoi mon chat se couche-t-il dans des endroits extrêmement chauds, par exemple devant le feu, sans que cela le dérange ?

R Les ancêtres de nos chats domestiques vivaient dans le désert. C'est pourquoi nos chers petits félins s'allongent confortablement devant un feu de cheminée ou près d'un radiateur, voire sur une surface qui brûlerait les êtres humains que nous sommes.

L'œil

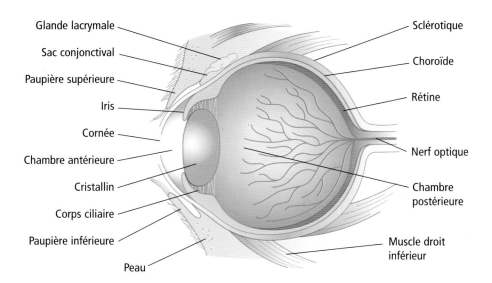

Glande lacrymale
Sac conjonctival
Paupière supérieure
Iris
Cornée
Chambre antérieure
Cristallin
Corps ciliaire
Paupière inférieure
Peau

Sclérotique
Choroïde
Rétine
Nerf optique
Chambre postérieure
Muscle droit inférieur

Fait félin

Lorsque le chat ne va pas bien, un petit bourrelet de graisse situé sous le globe oculaire se contracte et provoque un léger retrait de l'œil dans son orbite, entraînant le déplacement partiel de la paupière nictitante devant l'œil. Donc, si vous pouvez voir cette troisième paupière, c'est que votre chat n'est pas en bonne santé.

limitée, ce qui oblige l'animal à tourner la tête pour voir précisément les objets. Les chats ne sont pas totalement insensibles aux couleurs, mais distinguent moins de nuances que nous. Lorsque la luminosité est trop

forte, les muscles de l'iris se contractent pour réduire la pupille à une mince fente verticale, ce qui limite la quantité de lumière venant frapper le fond de l'œil et protège la rétine. Et lorsque l'iris se contracte, l'acuité de

la vision s'en trouve renforcée. Outre ses paupières supérieure et inférieure, le chat possède une troisième paupière, appelée paupière nictitante. C'est une membrane repliée en temps normal dans l'angle interne de l'œil et qui se déplace horizontalement, chaque fois que le chat cligne de l'œil, pour balayer toutes les saletés et les poussières de la cornée et humecter constamment l'œil.

L'odorat

L'odorat du chat est trente fois plus développé que celui de l'homme et joue un rôle essentiel dans sa vie sexuelle et dans son activité de prédateur en quête de nourriture et d'eau. Sa muqueuse olfactive, une épaisse membrane spongieuse située dans le nez, est deux fois plus étendue que celle de l'homme et contient 200 millions de cellules réceptrices. Lorsque le chat respire normalement, il perçoit d'infimes particules de substances odorantes présentes dans l'atmosphère, qui stimulent les terminaisons nerveuses ultrasensibles des poils fins présents à l'intérieur des cavités nasales.

Le palais abrite un organe particulier, tapissé de cellules sensorielles,

Les chats sont plus sensibles à l'odeur de la viande fraîche qu'à son goût.

Le saviez-vous ?

• Les chats mangent rarement des charognes et détestent l'odeur des aliments avariés ou qui renferment une substance médicamenteuse. Ils repousseront donc un aliment qui n'est pas frais ou qui contient un vermifuge, par exemple.

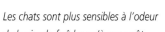

• La région nasale du chat qui lui sert à détecter les odeurs est dix fois plus étendue que celle de l'homme. La région cérébrale correspondante, qui lui permet d'identifier les messages odorants, est également plus grande.

l'organe de Jacobson. L'entrée de ce petit conduit est située juste derrière les incisives supérieures. Le chat dépose les odeurs intéressantes contre son palais en y appuyant sa langue et l'organe de Jacobson les analyse de façon plus poussée. Lorsqu'il se sert de cet organe, le chat prend une expression particulière : il entrouvre sa bouche et retrousse ses babines en une sorte de grimace appelée flehmen [voir p. 63].

L'ouïe

L'ouïe du chat est excellente et lui permet d'entendre des bruits inaudibles pour l'oreille humaine. Cet animal est capable de percevoir les ultrasons, ce qui le fait réagir bien avant nous à un phénomène. Son oreille a trois parties : externe, moyenne et interne.

L'oreille externe

Le pavillon de l'oreille joue le rôle d'un entonnoir qui canalise les sons vers le tympan, membrane tendue, fermant le conduit auditif et le séparant de l'oreille moyenne. Le tympan vibre sous l'effet des ondes sonores.

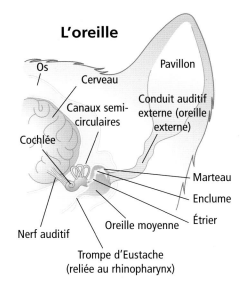

L'oreille

- Os
- Cerveau
- Canaux semi-circulaires
- Cochlée
- Nerf auditif
- Pavillon
- Conduit auditif externe (oreille externe)
- Marteau
- Enclume
- Étrier
- Oreille moyenne
- Trompe d'Eustache (reliée au rhinopharynx)

L'oreille moyenne

Trois osselets – le marteau, l'enclume et l'étrier – transmettent les vibrations sonores du tympan à la cochlée, organe de l'oreille interne.

L'oreille interne

La cochlée est un conduit enroulé en spirale qui contient l'organe de Corti, c'est-à-dire les terminaisons du nerf auditif. Cet organe convertit les vibrations sonores transmises par l'oreille moyenne en influx nerveux. Ces influx passent ensuite par le nerf auditif jusqu'au centre auditif du cerveau, où ils sont décodés et interprétés comme étant des sons par comparaison avec d'autres sons mis en mémoire.

Le goût

Il semble que la langue du chat distingue le salé, l'acide, l'amer et le sucré. La plupart de nos compagnons aiment les aliments salés, mais tous n'aiment pas le sucré, loin de là. Le

Le pavillon à large conque de l'oreille du chat s'oriente vers le son perçu pour tenter de le localiser. L'animal peut alors identifier précisément la position de la proie, même s'il ne la voit pas.

goût ne revêt pas une importance capitale pour ces félins, mais c'est par ce sens que les chatons, une fois sevrés, testent les nouvelles surfaces et les nouveaux objets qu'ils rencontrent : ils les lèchent avec beaucoup de concentration. On ignore encore comment les informations reçues de cette façon sont analysées et mémorisées, mais ce que l'on sait, c'est que ce phénomène se manifeste uniquement au cours de la période d'apprentissage la plus « sensitive » du chaton.

Le toucher

Les chats utilisent leur nez, leurs pattes et leurs moustaches pour examiner des objets au toucher après en avoir pris connaissance par l'odorat. Ils se brûlent rarement avec des aliments ou des liquides bouillants, car ils les reniflent, leur nez jouant ici le rôle d'un thermomètre. Les plus affectueux tendent leurs pattes antérieures vers le visage ou le corps de leur maître pour attirer l'attention. Ceux qui chassent touchent leur proie avec une patte pour voir si elle est morte ou vivante. Les chattes touchent souvent leurs chatons avec leur gueule et leurs pattes. Les chats se touchent aussi mutuellement avec leur tête, leurs moustaches et leurs pattes.

Conseil

Couper les moustaches d'un chat est un acte cruel. Même si cela ne lui fait pas mal, il se trouve privé d'une perception indispensable à sa sécurité. Sans antennes, il n'est plus renseigné sur la largeur d'une ouverture dans laquelle il veut se faufiler, ni sur la distance des obstacles dans l'obscurité.

Les soins médicaux de routine

Si vous connaissez bien votre chat et son comportement habituel, vous saurez reconnaître à certains signes que quelque chose ne va pas chez lui. Déceler rapidement une affection permet de la traiter au plus tôt et de l'empêcher de s'aggraver. Non seulement votre chat souffrira moins, mais vos frais médicaux seront moindres. Alors surveillez l'humeur et les habitudes de votre animal et contrôlez régulièrement son état de santé par des gestes simples. Les points à surveiller particulièrement sont énumérés ci-contre.

Critères

✓ état général, peau et poils
✓ appétit et soif
✓ léchage
✓ bouche et dents
✓ oreilles, yeux et nez
✓ poids
✓ fèces et urines
✓ aisance des mouvements

Les contrôles réguliers à la maison

Surveillez tous les points suivants liés à la santé et au comportement de votre chat.

État général, peau et poil

Un chat en bonne santé est vif, curieux, intéressé par tout ce qui se passe autour de lui et respire le bien-être. Sa peau doit être propre et souple, son poil doux et brillant, c'est-à-dire ni rêche ni terne. Examinez-les en recherchant d'éventuels parasites, blessures, pellicules, grosseurs ou croûtes [voir « Conseil », p. 129].

L'appétit et la soif

Tout changement dans l'appétit ou la consommation d'eau de votre chat peut indiquer un problème digestif, urinaire ou buccal. Alors conduisez-le au plus vite chez le vétérinaire.

Le léchage

Un chat en parfaite santé fait constamment sa toilette. S'il néglige sa toilette et si son poil devient ébouriffé, c'est qu'il est malade. Il peut souffrir de douleurs buccales ou de raideurs articulaires, lesquelles peuvent être dues à une arthrite ou à une arthrose. Quant aux chattes qui ne se lèchent plus les parties génitales, elles peuvent souffrir d'un écoulement vaginal ou de pertes désagréables.

La bouche et les dents

Le chat ne doit pas avoir mauvaise haleine, signe de caries dentaires. Sa cavité buccale et sa langue doivent être

Les chats malades ou souffrants se replient sur eux-mêmes et apparaissent abattus. Si votre chat a perdu son entrain habituel, demandez conseil à votre vétérinaire. Contrôlez régulièrement ses fonctions vitales [voir p. 99] pour détecter au plus tôt un éventuel problème de santé.

Si votre vétérinaire connaît bien votre chat, les traitements qu'il lui administrera seront plus efficaces et leurs chances de réussite plus grandes.

Conseil

Si, pour une raison quelconque, vous voulez un deuxième avis, vous êtes en droit d'en demander un et votre vétérinaire devrait même accepter de vous aider dans votre démarche. Aucun vétérinaire ne peut prétendre tout savoir sur tout et le vôtre peut vous conseiller d'aller consulter l'un de ses confrères, surtout s'il ne possède pas l'équipement adapté ou les connaissances nécessaires pour traiter le problème de santé particulier dont souffre votre animal.

rose pâle – des gencives blanches sont un signe d'anémie, des gencives rouges et saignantes de gingivite [voir p. 164] et des gencives bleues ou grises d'un problème circulatoire. Si votre chat ne veut ou ne peut pas manger, demandez conseil à votre vétérinaire : ce comportement peut être dû à un abcès de la bouche, à une dent cassée ou à une affection plus grave.

Les yeux, les oreilles et le nez

Les yeux du chat doivent être clairs, c'est-à-dire sans voile, vifs et ne doivent pas larmoyer. Certaines races à « face écrasée » souffrent souvent d'écoulements oculaires, signe d'une mauvaise évacuation des larmes par le canal lacrymal. Essuyez ces écoulements avec un coton hydrophile imbibé d'eau bouillie et refroidie. Tout voile présent à la surface du globe oculaire nécessite l'avis du vétérinaire. Les pupilles doivent être de taille identique et la troisième paupière rétractée, donc invisible [voir pp. 131-132].

L'intérieur des oreilles doit être propre, lisse, sans odeur et légèrement huileux au toucher. Des oreilles sales

Question habituelle

Q Selon quelle fréquence dois-je nettoyer les oreilles de mon chat et comment ?

R Les chats nettoient généralement leurs oreilles tout seuls. Cependant, si vous voyez que le pavillon est sale, vous pouvez le nettoyer doucement avec une lotion nettoyante pour les oreilles. N'utilisez jamais de Coton-Tige, car vous risqueriez d'endommager le conduit auditif. Si vous repérez la moindre anomalie dans les oreilles de votre chat, consultez votre vétérinaire.

La visibilité des troisièmes paupières est signe de mauvaise santé.

Le saviez-vous ?

Un chat qui revient de chez le vétérinaire peut avoir une odeur très différente et être traité comme un étranger par ses congénères du foyer. Les séparer et échanger leurs odeurs avec un chiffon propre peut favoriser leur « reconnaissance » mutuelle, de même que l'utilisation d'un diffuseur électrique de phéromones félines [voir encadré p. 88].

Comment administrer des médicaments à son chat ?

Ne donnez un médicament à votre chat que s'il vous a été prescrit ou conseillé par votre vétérinaire et suivez les instructions qui suivent. Il est préférable que quelqu'un tienne votre animal pendant que vous le soignez.

Le mode d'administration par seringue (votre vétérinaire vous en fournira une) est le plus commode. Insérez la canule au coin de la bouche et pressez tout doucement pour injecter une faible dose de produit à la fois, tout en massant la gorge du chat pour l'encourager à déglutir.

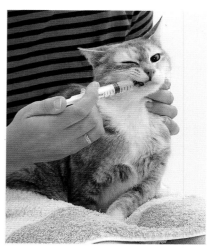

Si vous devez lui faire avaler un comprimé, vous pouvez utiliser un distributeur de pilule en forme de seringue (disponible chez le vétérinaire ou dans les animaleries). Renversez la tête du chat en arrière, déposez le comprimé au fond de sa bouche, puis refermez-la.

Massez légèrement la gorge pour favoriser la déglutition.

ou nauséabondes nécessitent un examen vétérinaire, car ce sont souvent des signes d'infection.

Le nez doit être propre, légèrement humide et ne doit pas couler. Un écoulement nasal est souvent le signe d'une infection virale ou d'une allergie.

Le poids

Les chats, comme les humains, ont une taille et une conformation très variables. Le poids moyen d'un chat adulte est compris entre 4 et 5 kg ; s'il est petit, il peut ne peser que 2,5 kg, s'il est grand, atteindre un poids de 5,5 kg. Votre vétérinaire vous dira quel est le poids idéal de votre chat et vous conseillera de le peser régulièrement, afin d'identifier d'éventuels écarts par rapport à son poids normal. Les chats obèses ont une espérance de vie plus courte que les autres et il faut savoir

Comment lui appliquer des traitements locaux ?

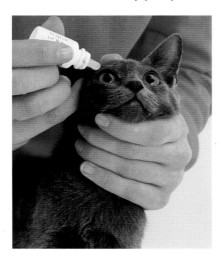 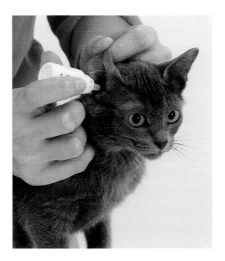 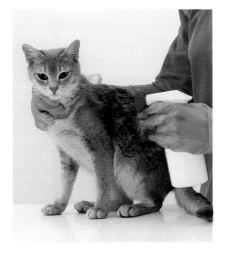

Utilisez uniquement des traitements prescrits par votre vétérinaire et appliquez-les en suivant les consignes suivantes.
Pour appliquer des gouttes ou une pommade dans les yeux, maintenez la tête du chat immobile et visez le centre de l'œil.

Pour administrer des gouttes auriculaires, immobilisez la tête du chat, versez les gouttes dans l'oreille, puis massez délicatement la base de l'oreille afin de répartir uniformément le produit.

Portez des gants de caoutchouc ou de plastique pour vous protéger en appliquant un spray antipuces. Massez le corps du chat pour bien faire pénétrer le produit et lavez-vous soigneusement les mains après l'application.

que tout surpoids fatigue le cœur et les membres. Quant à la perte de poids, elle peut indiquer une maladie interne, un trouble pancréatique ou une infection parasitaire.

Les fèces et les urines
Si votre chat a des difficultés à déféquer ou à uriner, il doit être examiné d'urgence par votre vétérinaire. Ses selles doivent être fermes, ni trop dures ni trop molles. Ses urines doivent être jaune clair, n'être pas troubles ni dégager une trop forte odeur. Bien sûr, fèces et urines ne doivent contenir aucune trace de sang.

La facilité de mouvement
Une raideur dans les mouvements peut révéler des problèmes articulaires. Une claudication indique une douleur liée à un membre fracturé, à une plaie, à une épine plantée dans le coussinet ou à une griffe infectée. Si votre chat rechigne à se déplacer et pousse des cris de douleur lorsque vous le prenez dans vos bras ou, tout simplement, le touchez, il peut souffrir d'une blessure ou d'une affection interne.

Symptômes préoccupants

- Abattement ou fièvre
- Augmentation ou diminution de la soif
- Changement marqué de comportement
- Claudication
- Démarche raide ou incertaine
- Diarrhée ou constipation
- Difficultés à s'alimenter
- Difficultés à uriner ou à déféquer
- Difficultés respiratoires
- Écoulement nasal
- Griffures ou morsures

- Léchage insuffisant ou absent
- Pâleur des lèvres et des gencives
- Perte d'appétit
- Perte de poils
- Perte ou prise de poids
- Plaies buccales
- Sang dans les urines ou les selles
- Signes de douleur aiguë
- Toux ou éternuements
- Ventre gonflé
- Vomissements

Les bilans de santé

Choisissez un vétérinaire spécialisé dans les félins et veillez à entretenir de bons rapports avec lui. Un maître qui conduit régulièrement son chat chez le vétérinaire pour faire pratiquer des bilans de santé et les rappels de vaccinations obligatoires, qui demande conseil sur les traitements antiparasitaires et les soins d'hygiène buccodentaire à appliquer, est un bon client auquel on accorde volontiers un peu plus de temps qu'aux autres…

Soumettez votre chat à un bilan de santé au moins une fois par an (faites-le coïncider avec les rappels de vaccinations annuels) et tous les six mois s'il est âgé d'au moins dix ans. C'est le seul moyen de diagnostiquer certains problèmes de santé avant qu'ils deviennent plus graves. Essayez de tenir un journal sur le comportement et l'état de santé de votre chat, et d'expliquer les changements que vous avez pu observer et quand vous les avez observés : vos informations aideront le vétérinaire à trouver plus rapidement le traitement le mieux adapté à votre compagnon.

Lutter contre les parasites

Les chats et en particulier ceux qui peuvent aller dehors sont susceptibles d'attraper toutes sortes de parasites externes et internes – puces, poux, champignons, tiques et vers – qui les rendent malades. Vous trouverez une large gamme de produits antiparasitaires dans les animaleries et les grandes surfaces, mais ils ne sont pas aussi efficaces que ceux vendus chez les vétérinaires. Même si les premiers sont moins chers à l'achat et plus faciles à se procurer, les seconds ont un rapport coût/efficacité bien meilleur à long terme.

N'utilisez jamais plus d'un traitement antipuces à la fois pour éviter le surdosage. N'oubliez pas de traiter également l'environnement, sinon vous risquez des infestations à répétition. Passez l'aspirateur sur la moquette, les tapis et dans les endroits où votre chat dort régulièrement, et lavez son couchage une fois par semaine pour détruire les œufs de puces.

Vous pouvez combattre les vers intestinaux (ascaris et ténias) par des traitements combinés, prescrits et administrés par le vétérinaire. Les chatons âgés de 4 à 16 semaines doivent être vermifugés contre les ascaris tous les 15 jours, les chats âgés de 6 mois et plus contre les ascaris et les ténias tous les 2 à 6 mois (selon qu'il s'agit d'un chat d'appartement ou non). Demandez conseil à votre vétérinaire sur les vermifuges les mieux adaptés à votre chat.

Les vaccinations

Comme tout autre animal, le chat peut attraper certaines maladies virales, parfois mortelles. Même si elles ne sont pas transmissibles à l'homme (sauf la rage), elles peuvent contaminer d'autres chats, soit par voie aérienne, soit par voie sexuelle après un accouplement,

Fait félin

Certains propriétaires de chats et de chiens ont voulu faire des économies en traitant leurs chats avec des produits antipuces destinés aux chiens – un geste qui s'est avéré mortel pour leurs félins. Alors n'utilisez jamais d'autres produits que ceux formulés spécifiquement pour les chats.

soit par tout autre contact physique. Sauf contre-indication, il vous est donc recommandé de faire vacciner votre chat pour :

- lui épargner une mort prématurée par maladie virale féline ;
- empêcher les maladies virales félines de devenir de véritables épidémies ;
- contribuer à éradiquer les maladies virales félines ;
- pouvoir mettre votre chat en pension pendant les vacances ;
- être autorisé à participer à des expositions félines ;
- pouvoir voyager à l'étranger avec votre chat si vous le désirez.

Principales maladies à vacciner

- Leucose féline (FeLV) [voir p. 173].
- Coryza (il existe deux virus responsables : le calicivirus et le virus de la rhinotrachéite, un herpès) [voir p. 164].
- Typhus ou leucopénie infectieuse féline [voir p. 171].
- Chlamydiose féline [voir p. 169].
- Rage

Tous les chats devraient être en parfaite santé quand on les vaccine, ce qui réduirait les risques d'effets indésirables.

Quand vacciner son chat ?

Les vaccinations sont pratiquées par un vétérinaire. Les chatons reçoivent leur première injection à l'âge de 9 semaines environ et la seconde à 12 semaines. Une protection totale n'est assurée que sept à dix jours après la seconde injection. Puis les rappels ont lieu tous les ans ou tous les deux ans (selon l'avis du vétérinaire) afin d'assurer l'immunité et de satisfaire les conditions exigées par les pensions, les expositions félines et l'administration.

Les risques

Les vaccinations ne sont pas sans risques, mais ces derniers sont généralement faibles et les réactions graves plutôt rares. L'animal peut présenter un gonflement à l'endroit de l'injection ou être un peu abattu et sans appétit pendant 24 heures, mais après tout doit rentrer dans l'ordre. Si le comportement ou l'état de santé de votre chat après la vaccination vous semblent préoccupants, contactez votre vétérinaire. La plupart des vétérinaires recommandent la vaccination pour empêcher certaines maladies de devenir de véritables épidémies, en particulier en zone urbaine où la population féline est dense.

Le saviez-vous ?

Certaines compagnies d'assurances ne remboursent pas les soins d'un chat qui n'est pas vacciné. Alors examinez toutes les clauses d'un contrat d'assurance avant de le signer. Réalisez des études comparatives pour trouver la meilleure assurance au meilleur prix. Les vétérinaires sont les mieux placés pour vous conseiller sur les meilleures compagnies – ils traitent quotidiennement avec elles.

La stérilisation

Si vous envisagez la reproduction de votre chat, c'est pour avoir des chatons ou monter un élevage. Sinon, un animal de compagnie doit être stérilisé, qu'il s'agisse d'un mâle ou d'une femelle, pour éviter les situations énumérées ci-contre.

Critères

✓ les gestations non désirées
✓ d'éventuels problèmes comportementaux – tels les jets d'urine dans la maison
✓ la propagation des maladies
✓ les fugues
✓ les odeurs âcres émises par les mâles
✓ les risques liés à la gestation et à la naissance
✓ les appels constants de la femelle durant la saison des amours

Pourquoi faire stériliser son chat ?

Un mâle mature mais entier, c'est-à-dire non castré, passera une bonne partie de son temps à essayer de satisfaire un besoin impérieux de se reproduire. Pour cela, il devra défendre son territoire, lutter contre ses rivaux et séduire des femelles. Toutes ces activités nécessitant une grande dépense d'énergie, les matous sont souvent minces, avec une allure un peu « désordonnée » et de multiples cicatrices et abcès dus à leurs nombreuses bagarres. Les fugues constituent un réel problème pour les propriétaires de mâles ou de femelles en période de reproduction [voir p. 86].

Les gestations non désirées représentent également, bien sûr, un problème majeur, mais il ne faut pas non plus oublier le risque de transmission de maladies entre chats – en parti-

culier sauvages ou harets. Il faut savoir, par exemple, qu'il n'existe ni vaccin ni remède contre le virus de l'immunodéficience féline (FIV), l'équivalent chez le chat du SIDA chez l'homme (mais aussi que si les humains ne risquent aucune contamination).

Faire stériliser son chat évite la lourde responsabilité d'avoir à trouver une bonne famille d'adoption pour les chatons.

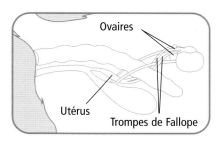

Ovaires

Utérus

Trompes de Fallope

Femelle non stérilisée

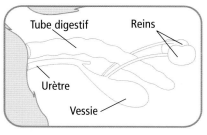

Tube digestif

Reins

Urètre

Vessie

**Femelle ovariectomisée
et hystérectomisée**

Stérilisation

*Avant l'opération, l'appareil génital
de la femelle comprend les ovaires,
les trompes ovariennes et l'utérus.*

*La stérilisation consiste à réaliser l'ablation
de ces trois parties de l'appareil génital.*

Castration

*Avant la castration, l'appareil génital
du mâle comprend deux testicules
enfermés dans le scrotum et reliés au pénis
par le cordon spermatique.*

*La castration consiste à réaliser l'ablation
des testicules et d'une partie du cordon
spermatique.*

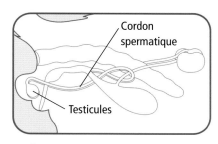

Cordon
spermatique

Testicules

Mâle entier

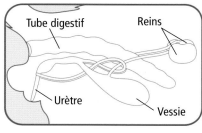

Tube digestif

Reins

Urètre

Vessie

Mâle castré

Quand faire stériliser son chat ?

La stérilisation du mâle ou de la femelle doit être pratiquée lorsque l'animal a atteint sa maturité sexuelle, soit à partir de six mois environ (l'équivalent de l'adolescence chez l'homme). Généralement, les vétérinaires n'opèrent pas les femelles en chaleur. Pourquoi ? Parce que les organes reproducteurs sont hypertrophiés et que l'afflux de sang est accru, ce qui augmente les risques lors de l'intervention chirurgicale. La stérilisation des chats à pedigree ou d'exposition est souvent reportée, afin qu'ils puissent atteindre un développement physique complet.

L'opération est-elle coûteuse et en quoi consiste-t-elle ?

La stérilisation des femelles représentant une opération plus complexe que celle des mâles, elle coûte également plus cher. Mais certains dispensaires (de la SPA ou de la fondation Assistance aux animaux, par exemple) pratiquent des tarifs très modestes pour permettre aux propriétaires à faibles revenus de pouvoir quand même faire opérer leur animal.

La stérilisation des femelles

L'opération consiste à retirer les ovaires (ovariectomie), les trompes ovariennes et l'utérus (hystérectomie) sous anesthé-

sie générale. Au préalable, le vétérinaire rase et désinfecte la région à opérer pour éviter toute infection, puis pratique une petite incision au milieu du ventre ou vers le flanc pour extraire les organes sexuels. Il termine par deux ou trois points de suture, qu'il ôtera au bout d'une semaine environ ou qui se dissoudront progressivement tout seuls.

La castration des mâles

Le vétérinaire anesthésie le matou et retire les testicules et une partie du cordon spermatique en pratiquant une incision dans le scrotum. Cette incision est si petite qu'elle ne nécessite aucun point de suture.

Le saviez-vous ?

Pendant la saison des amours (du début du printemps à la fin de l'automne), une femelle aura ses chaleurs toutes les trois semaines tant qu'elle n'aura pas été fécondée. En période d'œstrus, elle émet un appel caractéristique pour signaler aux matous des alentours qu'elle est réceptive.

Lorsqu'ils fuguent pour s'accoupler, les chats non stérilisés risquent de contracter des maladies au contact de congénères, de se bagarrer et d'être victimes d'accidents de la route.

Les soins pré- et post-opératoires

Le chat ne doit rien boire ni manger durant les douze heures qui précèdent l'opération, mais la plupart de nos compagnons sont de nouveau sur « pattes », s'alimentent et jouent quelques heures après l'opération. Les femelles mettent un peu plus de temps – 48 heures environ – à se rétablir.

Lorsque vous ramenez votre animal à la maison, il est encore sous l'effet de l'anesthésie et donc somnolent. Mettez-le au chaud et au calme pour qu'il puisse se reposer sans être dérangé, avec de l'eau, son bac à litière et un repas léger à base de poisson blanc ou de poulet cuit à proximité.

Fait félin

Si votre chatte est en chaleur, attendez-vous à voir des mâles entiers rôder autour de la maison et uriner un peu partout. Les bagarres dans le voisinage seront également fréquentes et vous risquez d'être réveillé la nuit par des miaulements forts et continuels. Parfois, les femelles prennent elles aussi l'habitude d'uriner de façon intempestive si leur équilibre hormonal a été perturbé par un traitement contraceptif ou des périodes d'œstrus fréquentes.

Votre vétérinaire vous dira si vous pouvez le laisser sortir ou s'il est plus raisonnable de le garder à la maison. Dissuadez gentiment votre chat de mordiller sa suture ou de la lécher exagérément. Si vous avez la moindre inquiétude sur l'état de santé de votre compagnon après l'opération, n'hésitez pas à contacter votre vétérinaire.

Le comportement du chat stérilisé

S'ils ont été opérés chatons, les mâles et les femelles manifestent par la suite un comportement à peu près identique – du point de vue de leur maître tout au moins. Mais les changements mineurs les plus fréquents concernent les aspects suivants :

- le territoire d'un chat stérilisé est beaucoup plus limité que celui d'un chat non stérilisé ;
- des conflits territoriaux peuvent encore survenir, mais moins souvent et de façon moins violente ;
- les mâles et les femelles stérilisés sont généralement plus affectueux et plus dociles ;
- ils tendent à passer plus de temps à la maison ;
- bien que les mâles castrés puissent avoir recours à des jets d'urine si quelque chose les perturbe émotionnellement, leur urine a une odeur beaucoup moins forte et une consistance moins poisseuse que celle des mâles entiers. Les taches sont donc plus faciles à nettoyer.

En vieillissant, les chats stérilisés sont moins actifs que les chats entiers et ont une meilleure espérance de vie. Vous devez donc adapter leur alimentation pour éviter la prise de poids et jouer avec eux tous les jours pour qu'ils se dépensent physiquement.

La contraception

Il est possible d'administrer un traitement hormonal aux femelles pour prévenir les gestations non désirées, mais la prise prolongée d'un contraceptif présente des inconvénients non négligeables. Elle peut entraîner des problèmes de fertilité, mal venus si vous souhaitez un jour faire reproduire votre chatte, ainsi que des effets secondaires tels qu'une augmentation de l'appétit, l'inévitable prise de poids qui s'ensuit, une léthargie, des problèmes comportementaux et des maladies utérines.

Si vous estimez qu'un accouplement a été une erreur (une « mésalliance », par exemple), vous pouvez administrer à

Conseil

Les mâles étalons restent confinés pour ne pas être infectés par des congénères ni s'exposer à des bagarres. S'ils ignorent ce qu'est la liberté, la plupart de leurs désirs naturels sont frustrés. Pour assurer leur bien-être, il est donc préférable de les castrer dès qu'ils ont fini de jouer leur rôle de reproducteur.

votre chatte une « pilule du lendemain » qui évite l'ovulation. Le vétérinaire pratique alors une injection d'hormones qui provoque un nouvel œstrus chez la chatte. Mais, en général, les vétérinaires n'aiment pas recourir à ce genre de traitement, car la pilule du lendemain féline peut avoir des effets secondaires graves, voire mortels, comme la pyométrite, une inflammation purulente de l'utérus.

Question habituelle

Q J'ai entendu dire qu'il était préférable pour une chatte d'avoir des chatons avant d'être stérilisée. Est-ce vrai ?

R C'est un mythe fondé davantage sur des besoins humains que sur des preuves scientifiques. En effet, rien ne prouve que cela soit d'un quelconque bénéfice. Si vous souhaitez élever une portée et avez la certitude de pouvoir faire adopter ensuite tous les chatons par de bons maîtres, faites opérer votre chatte peu après le sevrage des chatons pour éviter d'autres gestations.

Un chat né au début du printemps peut avoir ses premières chaleurs en automne, alors qu'un chat né plus tard dans l'année ne les aura certainement qu'au printemps suivant. Certaines races ont une maturité sexuelle précoce et peuvent procréer dès l'âge de cinq mois, d'autres pas avant douze mois.

LA REPRODUCTION

Une fois que la femelle est réceptive, les saillies se répètent dix à vingt fois par jour pendant six jours au maximum. Seuls les mâles les plus forts et les plus endurants peuvent soutenir ce rythme. Il n'est donc pas rare que les chatons d'une même portée aient plusieurs pères. Ce multipartenariat accroît les chances de procréation et donne des chatons aux caractéristiques très différentes. Cette variété est un gage de reproduction réussie chez les descendants.

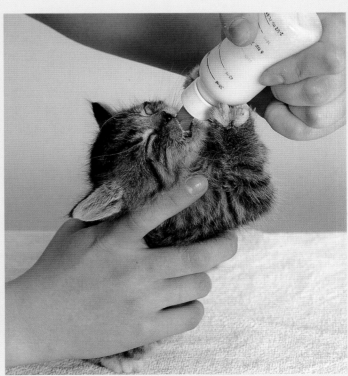

Accouplement et conception

Lorsque la femelle est prête à s'accoupler, elle se roule lascivement par terre pour attirer les mâles. N'oubliez pas de la vermifuger correctement avant les saillies.

L'opération de séduction peut durer très longtemps : même si elle veut s'accoupler, la femelle n'accepte pas immédiatement l'approche du mâle.

Enfin, elle finit par l'accepter. Le mâle attrape alors la femelle par la peau du cou pour l'immobiliser et la chevauche pendant l'accouplement.

Lorsque le mâle se retire, les barbules de son pénis stimulent l'ovulation de la femelle, mais irritent aussi sa paroi vaginale et lui font pousser des cris de douleur. Furieuse, elle se retourne alors vers le mâle, qui préfère décamper après avoir joué son rôle de géniteur pour éviter de recevoir une volée de coups de patte.

Après le coït, la femelle se roule par terre et fait sa toilette. Quelques minutes plus tard, elle est prête pour une nouvelle saillie qui augmentera ses chances d'ovuler et donc d'être fécondée.

Gestation et naissance

La gestation chez la chatte dure neuf semaines, soit 63 jours en moyenne. Les mouvements des fœtus peuvent être ressentis à partir de la septième semaine. À l'approche de la mise bas, la femelle cherche un « nid » – un lieu à l'écart, sûr et sombre de préférence.

Dès le début de la première phase du travail, la chatte arpente la pièce en miaulant ou en grognant doucement, et regarde derrière elle d'un air inquiet et perplexe. Lors de la seconde phase du travail, elle se réfugie dans son nid, se couche sur le flanc et pousse, les contractions utérines provoquant l'expulsion des chatons un par un.

Après la mise bas du premier chaton, la chatte le débarrasse de son enveloppe amniotique, l'obligeant ainsi à chercher sa première respiration. Elle expulse ensuite le placenta, le mange et sectionne le cordon qui le reliait au chaton à environ un centimètre du corps de ce dernier.

Après la mise bas de tous ses chatons, la chatte fait sa toilette, puis se couche sur le flanc pour les allaiter. Elle prendra ensuite un repos bien mérité de 12 heures environ.

Gestation, naissance et développement des chatons

L'instinct de reproduction est impérieux chez les chats non stérilisés. Une femelle en bonne santé, disposant d'une nourriture abondante et pouvant rencontrer librement des géniteurs, peut avoir deux ou trois portées par an. La survie d'une espèce dépend de la procréation et, chez la chatte, la gestation et la mise bas sont les phénomènes les plus naturels qui soient. Laissés à eux-mêmes, les chats ont une activité sexuelle bruyante, plusieurs mâles essayant de s'accoupler avec une femelle en chaleur et réceptive. Mais il n'y a généralement qu'un seul élu capable de s'imposer aux autres et de mener à bien la saillie.

S'occuper de la future mère

Outre la nécessité d'adapter son alimentation [voir p. 42] avec des aliments spécialement formulés pour les chattes en gestation (leurs besoins énergétiques sont accrus), occupez-vous normalement de votre chatte pendant cette période. À 5 semaines environ, elle sera plus prudente pour sauter et se faufiler à travers des ouvertures étroites en raison du gonflement de son ventre.

Soyez très prudent en la prenant dans vos bras et en la câlinant à l'approche du terme. D'ailleurs, elle n'appréciera peut-être pas vos attentions qu'elle trouvera inconfortables. Si elle souffre de constipation, remplacez l'un de ses repas journaliers par des aliments plus gras, telles les sardines, qui faciliteront le passage des selles.

Préparez un nid pour les chatons dans un endroit de la maison parfaitement calme et sûr. Une grande boîte en carton solide fera l'affaire. Sur un côté, vous percerez un trou à quinze centimètres du sol, suffisamment large pour permettre le passage aisé de votre chatte. Tapissez le fond avec du papier journal pour l'isoler et recouvrez-le d'une couche

1 jour
Le chaton est aveugle et ne se déplace pratiquement pas.

10 jours
Ses yeux s'ouvrent.

3 semaines
Il commence à manger des aliments solides.

5 semaines
Il est capable de courir et de s'équilibrer correctement.

8 semaines
Il s'est socialisé avec ses congénères et les autres animaux de la maison.

Le saviez-vous ?

Certaines mères peuvent souffrir d'une mastite (mammite) due à une infection bactérienne. Leurs mamelles sont dures, chaudes et produisent un lait teinté de sang ou d'aspect anormal. La chatte est patraque, vomit et manque d'appétit. Faites venir immédiatement le vétérinaire qui vous proposera un traitement adapté et vous montrera comment presser les mamelles pour les vider en cas de pus, et nourrir les chatons au biberon si nécessaire.

épaisse de serviettes en papier afin d'obtenir un couchage confortable, absorbant et jetable. Montrez à votre chatte où se trouve cet endroit, mais attendez-vous à ce qu'elle choisisse finalement un autre nid – sur ou sous votre lit, par exemple.

Si votre chatte est à poil long, rasez-la autour de sa région génitale pour des raisons d'hygiène et de commodité lors de la mise bas, ainsi qu'autour de ses mamelons pour faciliter les tétées. Nettoyez doucement sa zone anale à l'aide d'une éponge si elle porte de nombreux chatons et se montre incapable de faire sa toilette à cet endroit. Veillez à ce qu'elle n'ait pas de parasites dans les dix jours précédant la naissance. Si c'est le cas, demandez conseil à votre vétérinaire qui lui donnera un traitement adapté.

14 semaines
Ses capacités motrices se sont améliorées et il semble avoir acquis un équilibre parfait.

5 mois
Le chat peut avoir atteint sa maturité sexuelle, mais ce moment varie d'un individu à l'autre.

Chat adulte
Le chat a atteint sa taille définitive et une maturité complète à l'âge de 1 an.

Les chatons naissent les yeux fermés et les ouvrent au bout de 10 jours environ, parfois même au milieu de la première semaine, mais ils n'ont pas une bonne vue avant l'âge de 4 semaines. Leurs dents de lait commencent à sortir au bout de 14 jours ; à 15 jours, ils entendent normalement. Ils doivent être vermifugés si nécessaire et sur avis du vétérinaire, même si leur mère les allaite encore.

L'accouchement et la naissance

Les chattes accouchent et élèvent leurs chatons d'instinct, sans aucune intervention humaine. Mais leur comportement maternel s'améliore avec la pratique. Dans la nature, d'autres femelles de la famille aident malgré tout la jeune mère, jouant le rôle de sages-femmes et de nourrices en cas de besoin. Cette coopération assure une meilleure protection et survie des chatons. Le travail et la mise bas se déroulent d'ordinaire facilement. Dès que la seconde phase du travail commence (lorsque la chatte se réfugie dans son nid et s'allonge sur le flanc), toute la portée peut être expulsée en une heure environ ou, pour peu que les intervalles de temps entre chaque chaton soient plus longs, en 24 heures.

Les naissances difficiles

Des complications lors de l'accouchement sont toujours possibles. Si votre chatte a des contractions depuis deux heures mais sans résultat, appelez immédiatement votre vétérinaire pour l'assister. Parfois, pour diverses raisons, les chatons ne survivent pas. Alors, si la mère endeuillée vous semble en état de détresse, demandez conseil au vétérinaire qui lui donnera peut-être un médicament pour stopper la montée de lait et prévenir une mastite éventuelle. Il peut aussi connaître des chatons orphelins qui ont besoin d'une mère adoptive et, dans ce cas, l'histoire aura une fin heureuse. D'autres problèmes peuvent survenir au cours de la gestation ou après la mise bas :

Le saviez-vous ?

Les fausses grossesses (ou grossesses nerveuses) existent aussi chez les chattes. Elles peuvent survenir chez une chatte dont les accouplements n'ont pas abouti à une gestation. Tantôt le propriétaire ne voit aucun changement dans l'état physique ou psychologique de sa chatte, tantôt il remarque que son abdomen est gonflé et que ses glandes mammaires sont remplies de lait. La chatte passe du temps à préparer son nid, miaule souvent et refuse de faire de l'exercice. Elle peut même pousser de toutes ses forces, comme si elle mettait bas réellement. Elle s'attachera à des objets inanimés – des jouets, par exemple ; certaines chattes ont même des chatons « invisibles ». Dans les cas les plus graves, il est nécessaire de demander conseil au vétérinaire qui vous proposera peut-être un traitement.

Jusqu'à ce que les chatons soient capables d'aller faire leurs besoins à l'extérieur du nid, leur mère les lèche après chaque repas pour stimuler leur miction et leur défécation, puis avale leurs déchets afin que le nid reste propre.

Les chattes n'hésitent pas à transférer leurs chatons ailleurs si elles ne se sentent pas en sécurité ou si le nid devient sale ou infesté de puces. Elles les prennent par la peau du cou pour les porter sans que cela leur fasse mal.

Fait félin

Une fois que l'accouplement a eu lieu, le mâle ne joue plus aucun rôle. Il se contente de défendre le territoire sur lequel les femelles élèvent leurs chatons contre des rivaux qui cherchent à s'imposer et n'hésiteraient pas à tuer la progéniture des autres.

- une fausse couche due à une maladie ou à une malformation des fœtus ;
- une infection de l'utérus après la naissance, dont les symptômes sont une fièvre, des vomissements, une anorexie et des pertes vaginales de couleur sombre ;
- un prolapsus utérin diagnostiqué par une masse rouge gonflée sortant de la vulve.

Consultez immédiatement votre vétérinaire.

La dépendance à la mère

Les chatons sont totalement dépendants de leur mère et de son lait pendant leurs trois premières semaines. Ensuite, ils apprennent à manger la nourriture solide que leur mère leur rapporte sous forme de proies ou que vous leur offrez. La chatte mange et boit davantage que d'habitude pour fabriquer suffisamment de lait. Elle a besoin en moyenne de quatre repas copieux par jour, mais tout dépend du nombre

Question habituelle

Q La chatte d'une amie est morte d'éclampsie et mon amie a dû élever les chatons elle-même. De quoi s'agit-il exactement et comment réagir ?

R L'éclampsie est une affection aiguë pouvant survenir chez les femelles allaitantes. Elle paralyse la production de lait dans les mamelles de la chatte après la mise bas. Généralement due à une carence en calcium, elle peut survenir jusqu'à trois semaines après la naissance et même parfois en fin de gestation.

Consultez immédiatement votre vétérinaire si vous observez l'un des symptômes suivants : salivation excessive, anxiété, phobie de la lumière, manque de coordination des mouvements, fièvre élevée et convulsions. Si la chatte n'est pas rapidement traitée par des injections de calcium et de glucose, elle peut mourir.

Les chatons orphelins

Dans les rares cas où des chatons non sevrés sont abandonnés ou orphelins, c'est à vous de les nourrir au biberon. Cette activité est certes très prenante et très fatigante, mais il n'y a rien de plus gratifiant que de voir de petites créatures sans défense devenir de jeunes chats indépendants et en parfaite santé. Si les chatons n'ont plus de mère pour une raison ou pour une autre, consultez votre vétérinaire, car il est susceptible de connaître une chatte qui pourrait jouer le rôle de mère adoptive, de vous mettre en contact avec un éleveur compétent qui saura vous conseiller ou de vous apprendre lui-même à nourrir correctement vos chatons au biberon.

Si vous nourrissez vos chatons, sachez que, durant la première semaine, ils doivent être mis au biberon toutes les deux heures.

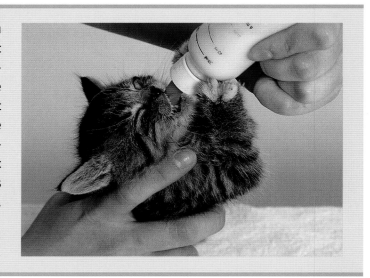

de chatons qu'elle doit allaiter. Servez-lui de préférence une nourriture pour chattes allaitantes, qui lui apporte tous les éléments nutritifs dont elle a besoin pour se nourrir et nourrir sa progéniture.

La propreté des chatons est essentielle à leur bonne santé. C'est pourquoi leur mère continue de faire leur toilette jusqu'à ce qu'ils apprennent à se lécher eux-mêmes.

Les débuts de l'apprentissage

Commencez à prendre et à tenir les chatons dans vos bras dès la deuxième semaine, afin de les socialiser peu à peu avec les humains. À ce stade, la mère ne sera pas trop inquiète de voir des êtres humains qu'elle connaît manipuler ses chatons. Dès l'âge de trois semaines, le chaton arrive à se tenir debout et fait ses premiers pas sur des pattes encore hésitantes ! Mais il sait se relever lorsqu'il tombe et jouer avec ses frères et sœurs en leur donnant des coups de pattes et en les mordant. À partir de la quatrième semaine, il peut se déplacer avec assurance et, à la fin de la cinquième semaine, il est souvent capable de courir et de s'équilibrer. Mais il lui faudra encore cinq à six semaines pour pouvoir courir, sauter et bondir de façon précise, équilibrée et parfaitement coordonnée.

Le sevrage

Vers quatre semaines, les chatons commencent à s'éloigner de leur nid pour explorer les alentours et à goûter à une nourriture solide [voir pp. 40-45]. Donnez-leur des aliments pour chatons : vous aurez la certitude qu'ils reçoivent les éléments nutritifs dont ils ont besoin pour leur croissance rapide.

Comme ils mangent des aliments solides, leurs excréments changent de nature et leur mère cesse d'avaler leurs déchets et de faire leur toilette intime. C'est le moment de les habituer à un bac à litière. Si leur mère ne leur apprend pas à l'utiliser, mettez-les vous-même dedans après chaque repas. Laissez-y une faible quantité d'excréments de l'élimination précédente pour les aider à comprendre qu'ils doivent y aller dès qu'ils ont envie d'uriner ou de déféquer.

Les mères pratiquent elles-mêmes et naturellement le sevrage de leurs chatons puisque leur lait se raréfie à partir de la cinquième ou sixième semaine. À cet âge, les chatons doivent être totalement habitués à la nourriture solide, même s'ils aiment téter encore de temps en temps pour autant que leur mère les y autorise. Dès l'âge de huit semaines les chatons sont d'ordinaire entièrement autonomes sur les plans de l'alimentation et de l'hygiène et prêts à être adoptés. Pour de plus amples renseignements sur les soins à leur donner à partir de huit semaines, lisez les pages 102 à 109.

Conseil

En jouant avec ses chatons et en leur apprenant à se battre, la mère peut paraître un peu rude, n'hésitant pas à les faire crier. Il n'y a pas lieu de s'inquiéter, car elle sait ce qu'elle fait.

Une cage d'intérieur suffisamment spacieuse comportant
un bac à litière : voilà l'endroit idéal où placer provisoirement
les chatons, dès le début de leur sevrage, pour permettre
à leur mère de se reposer et les habituer à utiliser leur bac.

Le saviez-vous ?

Si vous ne pouvez pas faire adopter les chatons ou les confier
à un refuge, une association ou une fondation, sachez que
l'euthanasie est le moyen légal et le plus
humain de les supprimer. Consultez
votre vétérinaire.

La mère incite ses chatons à jouer dès leur plus jeune âge,
c'est-à-dire dès qu'ils commencent à faire leurs premiers pas.
Grâce au jeu, ils apprennent à se socialiser, à se battre et à chasser
– des comportements qui leur seront indispensables plus tard.

LES PROBLÈMES DE SANTÉ

Bien que vous preniez soin de votre chat, il peut toujours lui arriver quelque chose. Il est donc prudent d'être prêt à faire face à toute éventualité. Essayez de minimiser les risques d'accidents à l'intérieur et autour de votre maison et soyez vigilant pour détecter tout problème de santé susceptible de nécessiter un traitement, quel qu'il soit.

Accidents et premiers secours

Il peut être utile, voire vital, de connaître les premiers soins à donner à son compagnon à quatre pattes. Les accidents survenant lorsque l'on s'y attend le moins, il est plus raisonnable de s'y être préparé. En cas d'urgence, il faut agir immédiatement. Savoir répondre à une situation d'urgence permet d'éviter des complications parfois graves, voire mortelles. Alors apprenez les premiers soins à donner à votre chat en cas d'urgence – et d'abord en consultant la liste ci-contre.

Critères

✓ rappelez-vous que votre propre sécurité passe avant tout
✓ évaluez la situation
✓ protégez-vous et protégez les autres
✓ examinez le chat
✓ identifiez les blessures
✓ pansez les blessures ou traitez la douleur
✓ gardez le chat au chaud, calmez-le, rassurez-le
✓ mettez l'animal blessé à l'abri
✓ contactez le vétérinaire pour lui demander conseil et obtenir un traitement adapté

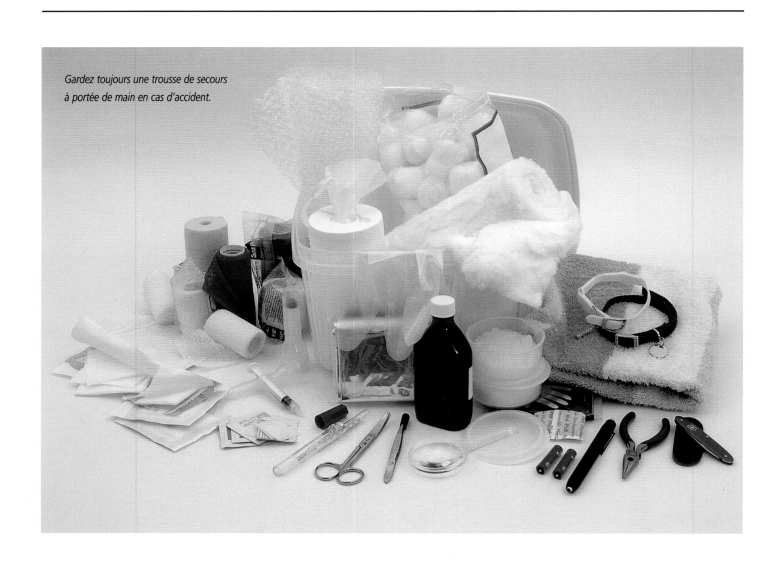

Gardez toujours une trousse de secours à portée de main en cas d'accident.

Les gestes qui sauvent

Connaître les gestes qui sauvent et apprendre à les appliquer vous donnera la confiance nécessaire pour gérer calmement et efficacement une situation d'urgence jusqu'à ce qu'un professionnel de santé prenne la relève. Demandez à votre vétérinaire ou à son assistant de vous les montrer, par exemple sur votre chat. S'exercer à donner les premiers secours à un chat en bonne santé est le meilleur moyen de savoir comment s'y prendre en situation d'urgence réelle.

La trousse de secours

Il est bon d'avoir chez soi une trousse de secours pour soigner les petits bobos et éviter les complications. Vous pouvez vous procurer les produits nécessaires auprès de votre vétérinaire, à la pharmacie ou dans une animalerie. Une trousse de secours doit contenir les éléments suivants :

- **alcool à 90°** pour retirer les tiques ;
- **antihistaminique** pour soulager les piqûres d'insectes ;
- **bandes Velpeau** pour maintenir les pansements ;
- **ciseaux à bouts ronds** pour couper des poils ou découper des pansements ;
- **collier élisabéthain** ou collerette en plastique pour éviter que le chat touche à son pansement ou gratte ses points de suture ;
- **collyre stérile** de lavage oculaire – une solution saline pour lentilles de contact peut faire l'affaire ;
- **compresses**, particulièrement utiles en cas de coupures ;
- **coton hydrophile** humidifié (il ne s'effilochera pas et ne collera pas à la plaie) pour laver les yeux, nettoyer les plaies et servir de pansement ;
- **Coton-Tige** préalablement humidifié pour ôter tout corps étranger dans

l'œil du chat (une graine de plante, par exemple), nettoyer les plaies ou appliquer une pommade ;
- **coupe-ongles** type pince guillotine ;
- **couverture métallisée**, dite de survie, ou une grande feuille de plastique bulle pour garder le chat au chaud en cas de choc et d'hypothermie ;
- **gants de protection** résistants pour immobiliser le chat ;
- **gants chirurgicaux** pour traiter les plaies ;
- **glucose en poudre** : mélanger une cuillère à soupe de glucose et une cuillère à café de sel dans un litre d'eau chaude donne un liquide réhydratant ;
- **lotion antiseptique** pour nettoyer et désinfecter les plaies – en particulier les morsures d'animaux ;
- **minilampe torche** pour examiner cavité buccale et intérieur des oreilles ;

Vous pouvez acheter un collier élisabéthain chez votre vétérinaire ou dans une animalerie ou fabriquer vous-même une collerette avec un morceau de carton très résistant ou un petit seau en plastique dont vous découperez le fond pour faire un trou.

- **morceaux de tissu** en coton (vieux linges ou draps) pour envelopper une plaie ou stopper une hémorragie ;
- **papier absorbant** pour essuyer tout liquide répandu ;
- **petit bol** en plastique ou en acier inoxydable destiné à contenir une solution antiseptique ou saline pour baigner les plaies ;
- **pince à épiler** pour extraire les dards d'insectes ;
- **ruban adhésif** pour maintenir les compresses ;

Le saviez-vous ?

Pour couper des poils autour d'une plaie, utilisez une paire de ciseaux à bouts ronds et à lames incurvées. Plongez les lames dans de l'eau propre, de préférence bouillie et refroidie, puis coupez soigneusement les poils autour de la blessure. Ces poils adhéreront aux lames humides et ne tomberont donc pas dans la plaie.
Plongez à nouveau les ciseaux dans l'eau pour les rincer.

- **sel fin** pour préparer une solution saline nettoyante et désinfectante (deux cuillères à café de sel dans un litre d'eau chaude);
- **seringue** pour administrer un médicament liquide;
- **serviette** pour envelopper le chat lors de l'administration d'un médicament ou l'immobiliser en cas d'accident;
- **solution antiseptique** et cicatrisante pour traiter les plaies et favoriser la cicatrisation;
- **thermomètre rectal** pour prendre la température corporelle, ou thermomètre auriculaire, plus cher à l'achat mais plus commode à utiliser;
- **vaseline** pour graisser le thermomètre avant son utilisation.

Abc des premiers secours

La première chose à faire est de vérifier que le chat respire et que son cœur bat. Pour qu'il puisse respirer, ses voies aériennes ne doivent pas être obstruées; et pour que son sang circule normalement, il faut que son cœur batte. Ce sont vraiment les deux premiers contrôles vitaux à effectuer avant de s'attacher à d'autres symptômes.

La respiration

Si le chat est inconscient et en état de choc, vérifiez qu'il respire. Si sa respiration est faible, voire absente, et sa langue bleue ou noire, ouvrez-lui la bouche et dégagez ses voies respiratoires de ce qui les obstrue. Soulevez doucement son menton pour étirer son cou et faciliter le passage de l'air. S'il ne respire toujours pas, pratiquez la **respiration artificielle**.

1 Fermez sa bouche et posez la vôtre sur son nez.
2 Soufflez doucement pour gonfler sa poitrine, puis dégagez-vous pour laisser ses poumons se vider. Répétez l'opération une trentaine de fois par minute.
3 Continuez jusqu'à la reprise de sa respiration, l'arrivée du vétérinaire ou jusqu'à ce que vous le jugiez hors de danger.

Le rythme cardiaque

Maintenant, écoutez son cœur en collant votre oreille contre sa poitrine, du côté gauche, juste derrière son coude. Les battements cardiaques doivent être perceptibles. Et prenez son pouls en plaçant vos doigts là où vous venez d'écouter son cœur ou à la jonction entre la cuisse et l'aine [voir p. 99]. Si le cœur ne bat plus, procédez à un **massage cardiaque**.

1 Appliquez une main sur la poitrine, juste sous le coude.
2 Appuyez doucement mais rapidement sur la poitrine, à raison de deux pressions par seconde. N'appliquez jamais vos doigts, mais la paume de votre main. Et n'appuyez pas trop fort pour éviter de casser les côtes de votre chat.
3 Alternez deux respirations artificielles et quatre massages cardiaques. Continuez jusqu'à ce que le cœur

Conseil

Pour savoir si votre chat respire, placez un miroir près de son nez et de sa bouche. S'il se forme de la buée, c'est qu'il respire.

Posez une couverture, une serviette ou un pull sur un chat inconscient pour le garder au chaud jusqu'à l'arrivée du vétérinaire.

Un chat malade se sent vulnérable et se tient sur la défensive; méfiez-vous de ses griffes et de ses dents en le manipulant ou en lui faisant subir quelque chose qu'il n'apprécie pas. Enveloppez-le toujours dans une serviette pour vous protéger.

Conseil

Un chat gravement blessé ou malade sera mieux pris en charge dans une clinique vétérinaire que chez lui, car il disposera de tout le matériel nécessaire et des compétences de professionnels.

reparte, que vous ne puissiez plus rien faire de plus ou qu'un vétérinaire prenne le relais. Pendant le massage cardiaque, vérifiez régulièrement si vous percevez le battement du cœur de votre animal ou son pouls.

Transporter un chat blessé

Approchez-vous calmement de l'animal et examinez-le en cherchant les blessures, après vous être assuré que vous ne courez aucun danger et lui non plus. Parlez-lui doucement, d'une voix rassurante, pour le calmer.

S'il est au milieu de la chaussée, déplacez-le sur le bas-côté en veillant à ne pas aggraver ses blessures. Le moyen le plus sûr de le transporter est de glisser une planche sous son corps – une civière de fortune – ou de glisser vos deux mains sous lui et de le soulever en le gardant bien à l'horizontale. En cas d'accident de la route, la blessure la plus courante est une rupture du diaphragme; il est donc très important de laisser le chat en position horizontale pour prévenir tout déplacement de ses organes internes.

Premiers secours de base

Vous trouverez ci-dessous les premiers gestes à effectuer dans les situations d'urgence les plus courantes.

Accidents de la route

Recherchez les blessures les plus visibles et examinez la nuque de l'animal: bosses ou œdèmes peuvent être le signe de fractures ou de traumatismes. Conduisez au plus vite votre chat chez le vétérinaire en l'informant des signes de blessure que vous avez repérés. Même s'il n'est apparemment pas blessé, faites-le examiner au plus tôt, car il peut souffrir d'une hémorragie interne qui, si elle n'est pas détectée et traitée rapidement, peut entraîner sa mort.

Brûlures thermiques

Refroidissez la brûlure avec de l'eau glacée (si vous pouvez baigner votre chat, plongez la partie atteinte dans l'eau pendant dix minutes) pour soulager la douleur et réduire la gravité de la blessure. Recouvrez doucement la brûlure d'un tissu propre, frais et humide (mouchoir ou torchon), enve-

loppez le chat dans une couverture de survie, mettez-le dans un panier de transport bien chaud et conduisez-le immédiatement chez le vétérinaire.

Brûlures chimiques

Enfilez des gants de caoutchouc et lavez abondamment la brûlure sous l'eau froide du robinet, soit en mettant le chat dans la baignoire ou l'évier et en faisant couler de l'eau sur la brûlure, soit en utilisant le tuyau d'arrosage du jardin. Empêchez l'animal de lécher la zone atteinte et suivez les instructions données pour les brûlures thermiques.

Coups de soleil

Voir « Brûlures thermiques ».

Intoxication

Si vous pensez que votre chat a ingéré une substance toxique (les signes les plus manifestes sont une salivation excessive et une somnolence extrême, laquelle est souvent associée à l'absorption d'un raticide), contactez immédiatement votre vétérinaire en lui donnant le nom du poison que vous

Un chat souffrant d'une fracture n'est pas facile à manipuler, car il n'hésite pas à mordre et à griffer quiconque tente de s'approcher de lui ou de le soulever.

suspectez. Cela lui permettra de se renseigner sur le produit avant votre arrivée. Il vous conseillera peut-être de faire vomir l'animal : déposez un ou deux petits cristaux de soude au fond de sa gorge si vous en avez ; sinon, administrez-lui de la moutarde ou du sel mélangé à un peu d'eau. Conduisez ensuite votre chat chez le vétérinaire. Par mesure de prévention, conservez tous vos produits toxiques dans des endroits fermés à clé, surtout si vous avez des chatons à la maison.

Fractures

Les signes communs des fractures sont : une saillie des fragments, une douleur extrême au moindre mouvement, une tuméfaction, une impotence et/ou une déformation du membre, une mobilité anormale ou une crépitation osseuse. Gardez le chat au chaud, calmez-le et conduisez-le chez le vétérinaire.

Électrocution

Après avoir coupé le courant, vérifiez que votre chat respire. S'il ne respire pas, pratiquez la respiration artificielle [voir p. 158]. S'il est impossible de couper le courant, ne vous approchez pas de l'animal. En cas d'électro-

cution, les brûlures sont presque inévitables, alors reportez-vous à la page 159. Mais n'oubliez pas que vous pouvez courir un grand danger en voulant aider immédiatement votre chat en détresse. Réfléchissez avant d'agir.

Piqûres d'insectes

Le chat va gratter frénétiquement l'endroit où il a été piqué. S'il a été piqué dans la gorge, conduisez-le d'urgence chez le vétérinaire, car le gonflement peut obstruer ses voies respiratoires et provoquer sa mort par asphyxie ou arrêt cardiaque. S'il a été piqué ailleurs sur le corps, coupez les poils autour de la piqûre pour y voir plus clair et lavez-la avec une solution saline. Contrairement aux guêpes, les abeilles laissent leur dard planté dans la victime. Si vous voyez cet aiguillon et pensez pouvoir l'extraire avec une pince à épiler, procédez minutieusement et passez un coton imbibé d'alcool à 90° sur la piqûre pour la nettoyer.

Nettoyez la zone piquée au bicarbonate de soude dissous dans de l'eau. S'il s'agit d'une piqûre de guêpe, nettoyez la zone piquée au vinaigre ou au jus de citron pour neutraliser les effets du venin. Puis séchez soigneusement et appliquez une compresse humide pour

limiter l'irritation et le gonflement. Si c'est un autre insecte qui a piqué votre chat, nettoyez et séchez la zone en question, puis appliquez un spray ou une pommade antihistaminique pour apaiser les démangeaisons et les irritations.

Morsures

Les chats craignent trois types principaux de morsures d'animaux.

- Si vous pensez que votre compagnon a été mordu par un congénère, coupez les poils autour de la morsure et nettoyez soigneusement la plaie avec une solution saline, puis une lotion antiseptique diluée. Séchez et appliquez généreusement une solution antiseptique et cicatrisante. Répétez l'opération deux fois par jour, car la plaie doit rester parfaitement propre pour éviter l'infection et la formation d'un abcès. Ces morsures finissent toujours par s'infecter si elles ne sont pas soignées correctement.

- Les morsures de rats sont particulièrement dangereuses, car ces rongeurs sont porteurs de nombreuses maladies graves. Soignez-les immédiatement comme les morsures de congénères, puis conduisez votre chat chez le vétérinaire qui lui injectera certainement un antibiotique et

lui prescrira une poudre antibiotique à appliquer sur la plaie.

- Si vous pensez que votre chat a été mordu par un serpent, calmez-le et empêchez-le d'effectuer le moindre mouvement, car il accélérerait la diffusion du venin dans l'organisme. Appelez sans tarder le vétérinaire.

Noyade

Sortez le chat de l'eau et tenez-le la tête en bas pour vider ses poumons remplis d'eau. Puis allongez-le à plat et frottez vigoureusement son corps pour favoriser la respiration. S'il ne respire pas, commencez la respiration artificielle [voir p. 158] jusqu'à l'arrivée du vétérinaire.

Corps étranger

En général, il est préférable de laisser le vétérinaire extraire un corps étranger. Si le chat se donne sans cesse des coups de patte sur la zone qui le gêne, empêchez-le gentiment de le faire pour éviter d'aggraver les choses jusqu'à ce que le vétérinaire l'examine. Vous pouvez parfois procéder vous-même à un lavage de l'œil, pour en retirer une graine ou un brin d'herbe, à l'aide d'une seringue remplie d'une solution saline. Vous pouvez aussi extraire assez facilement une épine plantée dans la patte – attention toutefois à l'ôter complètement : au cas où il en resterait un petit bout à l'intérieur, si minime soit-il, il pourrait s'infecter. Alors consultez le vétérinaire.

Étouffement

Un étouffement exige des soins d'urgence : vous n'aurez pas le temps de conduire votre chat chez le vétérinaire car, entre-temps, il sera mort par asphyxie. Alors enveloppez-le dans une serviette pour l'immobiliser plus facilement et ouvrez sa bouche pour voir s'il a quelque chose en travers de la gorge. Le problème, c'est qu'en voulant extraire le corps étranger, vous risquez de le pousser encore plus loin et d'aggraver la suffocation de l'animal. Si vous avez quelqu'un pour vous aider, demandez-lui de garder la bouche du chat ouverte pendant que vous essayez d'extraire l'objet.

Si le corps étranger qui bloque le passage de l'air est vraiment coincé, n'essayez surtout pas de l'enlever. Allongez le chat devant vous, prenez ses pattes postérieures en les soulevant jusqu'à hauteur de vos genoux, puis serrez-les entre vos genoux. Posez une main sur la poitrine, de n'importe quel côté, et exercez de petites pressions fermes et répétées pour essayer de faire « tousser » le chat. Répétez l'opération quatre ou cinq fois jusqu'à ce qu'il

Question habituelle

Q Faut-il serrer un bandage ?

R Si vous n'avez pas appris les gestes qui sauvent, il est préférable de laisser au vétérinaire ou à son assistant(e) le soin de faire le bandage, un pansement trop serré risquant de couper la circulation. Demandez-lui de vous montrer les différents bandages possibles et comment les poser correctement.

recrache l'objet coincé. Laissez-le se reposer avant de le conduire chez le vétérinaire. Si l'objet n'est pas expulsé, rendez-vous d'urgence chez le vétérinaire.

Claudication

Vérifiez qu'un corps étranger n'est pas logé dans un membre ou sous une patte et recherchez une éventuelle fracture. Consultez le vétérinaire dès que possible.

Crises convulsives

Confinez votre chat dans une grande boîte en carton garnie d'un coussin pour qu'il n'aille pas ailleurs et appelez le vétérinaire au plus vite. Une crise d'épilepsie est un événement extrêmement grave qui peut entraîner la mort.

Nettoyez soigneusement toute plaie avec un coton imbibé d'une solution saline.

Choc

Un accident, une blessure grave peuvent provoquer un choc, c'est-à-dire une chute brutale et parfois mortelle de la pression sanguine. Les symptômes du choc incluent : une peau plus froide, une pâleur des lèvres et des gencives (due au ralentissement circulatoire), un évanouissement, un pouls rapide et un regard absent. Enveloppez votre chat dans une couverture de survie, puis relancez la circulation sanguine en massant doucement mais fermement son corps et en veillant à ne pas aggraver d'éventuelles blessures. Consultez le vétérinaire au plus vite.

Plaies externes

Coupures, égratignures et éraflures guérissent toutes seules. Nettoyez-les avec du coton hydrophile imbibé d'une solution saline. Le saignement initial, parfois abondant, contribue à nettoyer la plaie en emportant toutes les impu-

retés, ce qui réduit le risque d'infection. Cependant, consultez au plus tôt le vétérinaire :
• s'il jaillit un sang rouge vif (artériel) ;
• s'il s'échappe un flux constant de sang rouge sombre (veineux) ;
• si la blessure est profonde ou assez grave pour nécessiter une suture ;
• s'il y a suspicion de blessure par balle ;
• si la blessure est punctiforme ; elle apparaît alors sans gravité, mais peut être en réalité assez profonde et s'infecter facilement ; n'essayez pas d'extraire un corps étranger d'une plaie de ce type, car vous risquez d'aggraver la blessure et/ou de provoquer des saignements abondants (là où il est, l'objet sert de tampon et peut empêcher une grave hémorragie) ;
• si les coupures touchent les doigts ou un membre, car il peut y avoir une lésion d'un tendon.

En cas de petite blessure, stoppez le saignement par compression locale, à l'aide d'un tampon de coton ou d'une compresse propre et humide, avant de nettoyer la plaie. En cas de blessure plus grave, tentez de comprimer en amont de la plaie l'artère qui irrigue le membre (vous pouvez la sentir sous la peau, côté cœur) ; si vous n'y arrivez pas, comprimez plus fortement la plaie avec un tampon de coton. Surélevez, si possible, le membre blessé pour limiter le saignement.

Lésions internes

Elles peuvent être diagnostiquées devant un gonflement anormal de l'abdomen, un vomissement de sang par la bouche, un écoulement de sang par le nez, les oreilles, les yeux, les organes sexuels (à ne pas confondre avec les règles de la chatte) ou l'anus, l'existence de sang dans les urines et/ou les selles, un état de choc ou la présence d'ecchymoses sur la peau. Consultez immédiatement le vétérinaire.

CONSEILS POUR NE PAS AGGRAVER LA SITUATION !

SITUATION	À NE PAS FAIRE
Plaie	N'exercez pas de pression directe sur une plaie renfermant un corps étranger ou laissant apparaître une saillie osseuse ; et n'essayez pas d'extraire un objet d'une plaie, car vous risquez d'aggraver l'hémorragie.
Saignement important	N'appliquez pas un garrot qui risque de stopper net la circulation sanguine et de mettre la vie du chat en danger.
Massage cardiaque	Ne pratiquez pas de massage cardiaque si vous suspectez une blessure de la cage thoracique.
Étouffement	N'essayez pas d'extraire un objet coincé dans la bouche ou la gorge autrement que par la méthode décrite pages 161 et 162 (faire tousser le chat). En cas d'échec, confiez le chat à un vétérinaire.
Brûlure thermique	N'appliquez pas trop d'eau glacée à la fois sur la brûlure, car une chute de température brutale risque d'aggraver les choses (voir p. 159).
Électrocution	Ne touchez pas le chat avant d'avoir coupé le courant au disjoncteur, car vous risqueriez de vous électrocuter.
Brûlure chimique	Ne venez pas en aide au chat avant d'avoir enfilé des gants et un vêtement pour vous protéger des brûlures.
Crises convulsives	N'essayez pas d'immobiliser un chat en pleine crise.
Fractures	Ne tentez pas de poser vous-même une attelle – laissez faire le vétérinaire.
Intoxication	Ne faites pas vomir le chat sans avoir demandé l'avis du vétérinaire.
Bagarres	N'essayez pas de séparer à mains nues des chats qui se battent – utilisez un balai ou un long bâton.
Corps étranger dans l'œil	Ne posez pas une compresse sur l'œil du chat si vous suspectez la présence d'un corps étranger.
Ingestion d'une ficelle	N'essayez pas d'extraire la ficelle de la gorge ou de l'anus en tirant dessus si vous rencontrez une résistance ; consultez votre vétérinaire.

Maladies courantes

Les chats peuvent souffrir de toutes sortes de maladies, qui souvent se traitent avec succès. Les pages suivantes vous donneront de précieuses informations sur les symptômes et les causes des différents troubles, affections et maladies, ainsi que des conseils utiles pour les traiter. Il faut bien connaître son chat pour bien le soigner et, parfois, lui sauver la vie. Et votre vétérinaire soignera d'autant plus efficacement votre animal que vous aurez su lui communiquer les renseignements de la liste ci-contre.

Critères

✓ les symptômes présentés par votre animal
✓ quand ils sont apparus
✓ leur durée
✓ en quoi ils affectent le comportement de votre chat

Coryza

Le coryza est une maladie féline assez répandue, qui peut se propager rapidement dans les foyers où plusieurs chats cohabitent, en particulier les élevages. Toutefois, le taux de mortalité des chats souffrant de cette maladie est généralement faible.

Symptômes

Ils sont variables mais incluent habituellement une perte d'appétit, de la fièvre, des éternuements fréquents, un abattement général, une inflammation ou une rougeur oculaire, un écoulement nasal jaune ou vert, assez épais, une toux occasionnelle et des ulcères sur la langue.

Causes

Les deux principales causes sont virales. Le premier agent est le calicivirus, le second le virus de la rhinotrachéite, un herpès. La contamination se fait par voie aérienne, c'est-à-dire par les éternuements d'un chat infecté. Malheureusement, certains chats sont des porteurs sains : ils portent le virus sans être malades et sont capables de contaminer des congénères.

La salivation excessive est un symptôme courant du coryza.

Que faire ?

Isoler le chat infecté dès l'apparition des premiers symptômes et contacter le vétérinaire dans les 24 heures. La période d'incubation est de deux à dix jours. Même un chat s'étant remis du coryza peut rester porteur de l'un des virus. C'est pourquoi il est préférable d'interdire au chat infecté tout contact avec un congénère. La meilleure prévention reste la vaccination – une injection sous la peau et une pulvérisation dans le nez.

Traitement

Il s'agit de faire en sorte que le chat se remette à boire et à manger et de le soulager de ses symptômes. Le vétérinaire prescrit en général des antibiotiques et des fluidifiants des sécrétions de l'appareil respiratoire.

Halitose (mauvaise haleine)

C'est l'un des problèmes bucco-dentaires les plus répandus chez les chats. Les symptômes se manifestent généralement avant l'âge de 3 ans.

Symptômes

Haleine fétide, gencives sensibles, anorexie et excès de bave. La plaque dentaire et le tartre peuvent entraîner des troubles cardiaques et rénaux s'ils ne sont pas traités. Des taches jaune brun recouvrant les dents près des gencives constituent le symptôme classique.

Causes

Généralement une gingivite (inflammation des gencives). Ou une accumulation de résidus alimentaires entre les dents favorable à la prolifération de bactéries qui attaquent l'émail. Rarement, une insuffisance rénale.

Des dents gâtées et des gencives malades entraînent une mauvaise haleine (ou halitose).

Que faire ?

Garder les dents du chat en bonne santé. Pour cela, l'hygiène bucco-dentaire est essentielle. Brosser régulièrement les dents de son animal n'est pas qu'une mesure préventive, c'est aussi l'occasion idéale de les examiner pour repérer d'éventuels petits problèmes à traiter avant qu'ils ne s'aggravent. N'oubliez pas de soumettre votre chat à des bilans de santé réguliers (au moins une fois par an) qui incluent un examen bucco-dentaire.

Traitement

Si votre chat souffre de gingivite, demandez conseil à votre vétérinaire sur l'emploi d'un spray antiseptique adapté. Les aliments en conserve ne permettant pas un nettoyage ni un massage des dents et des gencives, donnez plutôt des croquettes à votre chat à chaque repas. Les jouets à mâchouiller, qui contribuent à la santé des dents, représentent également une bonne solution.

Vomissements

Il s'agit d'un symptôme et non d'une maladie en soi.

Description

Expulsion soudaine par la bouche du contenu de l'estomac et/ou de l'intestin grêle.

Causes

• Changement soudain des habitudes alimentaires.
• Mal des transports.
• Coup de chaleur.
• Modification de la composition chimique du sang due à un diabète sucré, à une insuffisance rénale, à une affection du foie ou à une infection bactérienne.
• Corps étranger dans l'estomac.
• Invagination de l'estomac ou de l'intestin.
• Cancer de l'estomac.
• Vers parasites.
• Peur et stress.
• Traumatisme crânien.
• Infections.
• Ingestion de substances émétiques (herbe).
• Boules de poils.

Que faire ?

En cas de vomissements soudains et répétés, retirez l'eau et la nourriture à votre chat et appelez le vétérinaire. Gardez votre animal à l'intérieur, dans un endroit où vous pouvez le surveiller, et recouvrez le sol de papier journal pour le protéger. Notez la fréquence des vomissements, leur consistance, leur couleur et leur quantité : vous aiderez votre vétérinaire à trouver la cause et à traiter efficacement le problème. Des vomissements occasionnels sont normaux chez le chat et ne nécessitent aucun traitement. Mais

Les boules de poils peuvent provoquer des vomissements, mais un toilettage régulier est la meilleure mesure de prévention.

s'ils sont fréquents, abondants ou accompagnés de sang, l'avis du vétérinaire est préférable.

Si vous pensez qu'il s'agit d'une bonne indigestion, mettez votre chat à la diète pendant 24 heures en lui donnant un peu d'eau à boire régulièrement pour prévenir la déshydratation.

Ensuite, réintroduisez progressivement la nourriture avec des repas légers et peu copieux – œufs brouillés, poulet cuit à l'eau, par exemple – avant de retrouver une alimentation habituelle. Si les vomissements persistent ou reprennent avec le retour à une alimentation solide, consultez rapidement le vétérinaire.

Vous pouvez prévenir certaines causes de vomissements en vermifugeant régulièrement votre chat, en lui interdisant de ramasser les restes, en évitant les changements soudains de régime alimentaire, en ne lui donnant rien à manger avant un voyage et en évitant de le suralimenter.

Traitement

Dans les cas les plus graves, le chat est placé sous goutte-à-goutte pour prévenir la déshydratation. Si un corps étranger est coincé quelque part dans l'appareil digestif, il faut envisager une intervention chirurgicale.

Diarrhée

Comme les vomissements, la diarrhée est la manifestation d'un problème de santé et non une maladie en soi.

Description

Évacuation d'excréments plus ou moins liquides et fétides. Elle peut être fréquente, nécessitant de nombreux allers et retours entre le bac à litière et le logement, ou survenir si soudainement que le chat n'a pas le temps d'aller dans son bac. Si votre animal souffre de colite (une inflammation du côlon), ses selles contiendront beaucoup de mucus et du sang rouge vif. Les épreintes sont un autre symptôme de la colite : le chat a très envie de déféquer mais fournit de gros efforts pour y arriver. Ce symptôme est souvent pris à tort pour de la constipation. La diarrhée entraîne souvent une déshydratation et l'animal semble un peu désorienté par ce qui lui arrive.

Causes

La diarrhée peut révéler simplement un excès de table ou un stress. Elle peut aussi être causée par des vers intestinaux, des corps étrangers présents dans le système digestif ou des infections fongiques.

Que faire ?

Mettre le chat à la diète, mais lui donner suffisamment d'eau à boire. Si ses diarrhées sont aiguës, réhydratez-le [voir « La trousse de secours », p. 157] et contactez le vétérinaire. Laissez votre chat aller et venir dans un périmètre réduit pour pouvoir le surveiller et protégez le sol de la pièce avec du papier journal ou un revêtement en plastique. Notez la fréquence des défécations, ainsi que la consistance, la couleur et la quantité des selles émises : grâce à vos informations, votre vétérinaire trouvera plus facilement la cause de ces diarrhées soudaines et proposera un traitement plus efficace.

Traitement

Si la diarrhée est due à des parasites internes, un anthelminthique permettra de les éliminer, tandis que des antibiotiques seront nécessaires en cas d'infection. Souvent à l'origine d'une déshydratation, la diarrhée peut entraîner des lésions organiques irréversibles (des reins, en particulier) et parfois mortelles. En cas de diarrhée sévère, persistante et sanguinolente (et si l'excès alimentaire a été écarté), consultez immédiatement votre vétérinaire.

Entérite

Il s'agit d'une inflammation de la muqueuse intestinale.

Symptômes

Une diarrhée et des traces de sang dans les selles.

Causes

L'entérite est très courante chez les jeunes chats et ses causes sont multiples. Mais généralement, l'agent responsable est l'entérobactérie *Escherichia coli* ou la bactérie Campylobacter. Chez l'homme, on parle de dysenterie.

La diarrhée du chat et ses risques pour l'homme

La diarrhée de votre chat peut être causée par une zoonose – une maladie infectieuse transmissible à l'homme, généralement provoquée par le Campylobacter et la salmonelle, des bactéries très dangereuses. Si vous voulez réduire les risques de contamination, lavez-vous systématiquement les mains après avoir manipulé votre chat, surtout avant les repas. Isolez votre animal et donnez-lui de l'eau et des électrolytes administrés avec une solution de kaolin (disponible chez les vétérinaires, les médecins et dans les pharmacies) toutes les 2 heures et pendant 24 heures. Ensuite, réintroduisez progressivement les aliments solides – le lapin, le poulet et le poisson cuits sont excellents.

Que faire ?

Observez le comportement de votre chat et notez la quantité, la couleur, la consistance et l'odeur des selles émises. Recherchez, en particulier, la présence de sang dans les fèces.

Traitement

L'administration immédiate d'un antibiotique à large spectre, associée à des doses régulières de kaolin, peut guérir le chat. Un deuxième antibiotique est parfois nécessaire. L'entérite pouvant être mortelle, le traitement doit être entrepris le plus tôt possible.

Constipation

Il s'agit d'une difficulté ou d'une impossibilité à évacuer les matières fécales (ou de selles peu abondantes et moins fréquentes que la normale). C'est un symptôme et non une maladie, qui peut avoir de multiples causes et s'observe fréquemment chez les chats âgés.

Description

Un chat dont les selles sont très dures ou qui souffre de difficultés à déféquer est probablement constipé. Bien sûr, tout dépend de l'animal et de son mode de vie, mais un chat doit déféquer une à quatre fois par jour.

Causes

Une maladie débilitante, un corps étranger coincé dans l'appareil digestif (surtout dans l'intestin) ou une affection de la prostate chez les mâles peuvent occasionner une constipation.

Que faire ?

Donner à son chat une alimentation riche en fibres et un régime alimentaire équilibré constitue une mesure préventive efficace.

Disposez des bacs à litière aux quatre coins de la maison si votre chat est incontinent. Vous éviterez les taches indésirables sur la moquette, le parquet ou les tapis.

Traitement

En cas d'occlusion intestinale, une intervention chirurgicale est nécessaire. Si l'alimentation est en cause, un léger laxatif suivi d'une amélioration du régime alimentaire peut suffire. Mais la constipation peut être très dangereuse, alors consultez systématiquement votre vétérinaire aux premiers symptômes.

Incontinence urinaire

C'est l'incapacité de contrôler l'émission des urines.

Symptôme

Le chat est sujet à des petites fuites urinaires, en particulier pendant la sieste ou le sommeil. Cette perte d'urine involontaire est, en effet, favorisée par la position couchée.

Causes

Il existe de nombreuses causes possibles, parmi lesquelles un dysfonctionnement urétral, une malformation congénitale de l'appareil urinaire, une lithiase urinaire (présence de calculs dans les voies urinaires), un cancer ou une affection de la prostate. Mais l'incontinence urinaire touche principalement les chattes âgées.

Que faire ?

Si vous conduisez votre chat chez le vétérinaire, pensez à emporter un prélèvement d'urine pour analyse : vous saurez si une maladie est en cause. Il est injuste de réprimander un chat incontinent, car il n'est absolument pas responsable. Son couchage doit être changé et nettoyé fréquemment, de préférence tous les jours.

Traitement

Une opération chirurgicale peut remédier à un dysfonctionnement urétral, à une malformation congénitale, à une lithiase urinaire, à un cancer ou à une affection de la prostate, tandis qu'un traitement médicamenteux peut améliorer l'efficacité de l'urètre à contrôler l'émission d'urine. L'incontinence urinaire n'est pas quelque chose d'inquiétant en soi, mais elle peut cacher un problème plus grave. Il est donc toujours préférable de demander conseil au vétérinaire.

Arthrite/arthrose

L'arthrite est l'inflammation d'une articulation consécutive à une maladie ou à un traumatisme. L'arthrose est une usure prématurée des cartilages articulaires.

Symptômes

Articulations enflées, difficulté à se mouvoir et claudication.

Causes

L'arthrose est une maladie en soi ou le résultat d'autres maladies. Dégénérative et douloureuse, elle affecte gravement la qualité de vie du chat. Elle peut frapper une ou plusieurs articulations ; sa gravité dépend de la nature des articulations touchées et de l'état général de l'animal. L'arthrose n'est pas aussi fréquente chez le chat que chez le chien ; les chats en surpoids sont davantage concernés par cette maladie. Quant à l'arthrite d'origine traumatique, elle résulte directement d'une blessure articulaire consécutive à un accident de la route ou à une entorse.

Que faire ?

Consultez votre vétérinaire pour qu'il vous conseille sur le traitement à mettre en place. Celui-ci dépend de la cause de la maladie.

Traitement

Le traitement peut inclure des anti-inflammatoires et des analgésiques, plus rarement un acte chirurgical. Toute arthrose doit être prise au sérieux et traitée le plus tôt possible. N'attendez pas que votre chat ne puisse plus marcher pour consulter le vétérinaire. Un examen physique et une observation des déplacements du chat, associés à des radios et à une analyse du liquide synovial, permettront au praticien d'apprécier la gravité du cas.

Difficulté à se mouvoir

Un chat normalement actif peut développer une difficulté à se mouvoir.

Symptômes

Douleur et gêne en effectuant des mouvements habituels.

Causes

La cause directe est souvent une inflammation articulaire (arthrite). On parle de myopathie quand les muscles sont atteints d'un processus pathologique, ou primitif, ou secondaire (une infection bactérienne, par exemple), de myosite en cas d'inflammation musculaire.

Que faire ?

N'administrez des antalgiques à votre chat que sur le conseil de votre vétérinaire. En effet, ces médicaments peuvent provoquer un bien-être articulaire ou musculaire trompeur. Débarrassé de toute sensation douloureuse ou de toute gêne trop handicapante, le chat continue à mener sa vie de tous les jours, sans se ménager. Il risque ainsi d'aggraver l'inflammation ou la maladie.

Traitement

Si le cas est peu sévère, votre chat boitera légèrement pendant 24 à 36 heures et il suffira de le mettre au repos forcé. Si la claudication persiste plus de 36 heures, demandez l'avis du vétérinaire sur un traitement éventuel. En cas d'entorse, la lésion traumatique de l'articulation peut s'accompagner d'une lésion des cartilages et/ou des ligaments. Ce n'est pas dangereux en soi, mais très douloureux. Et si l'entorse n'est pas traitée correctement, elle peut dégénérer en arthrose, maladie généralement irréversible.

Des yeux troubles ou opaques indiquent un problème de vision ; mais la plupart des chats s'adaptent parfaitement bien à une cécité partielle ou totale.

Cécité (totale ou partielle)

Perte totale ou partielle de la vision.

Symptômes

Votre chat se cogne contre des meubles et des objets sans raison apparente. Il est fréquent que le chat âgé ait davantage de problèmes de vision lorsque la lumière est trop vive et dans l'obscurité, et qu'il hésite à sortir dans de telles circonstances.

Causes

Les causes sont multiples puisqu'elles vont de la blessure à la maladie congénitale. Le cristallin d'un chat âgé est souvent recouvert d'un voile bleuâtre dû à sa détérioration.

Que faire ?

Conduire son chat chez le vétérinaire dès les premiers symptômes d'une baisse de sa vision.

Traitement

Le traitement dépend de la cause, mais la plupart des cas de cécité totale sont incurables.

Chlamydiose féline

Cette infection qui provoque, entre autres, une conjonctivite, est due à la bactérie *Chlamydia psittaci*.

Symptômes

Conjonctivite (rougeur des yeux) et écoulement oculaire épais. Des éternuements et un écoulement nasal sont également fréquents.

Causes

Contamination par les écoulements (nasal, oculaire) d'un chat infecté.

Que faire ?

Conduire d'urgence le chat chez le vétérinaire en cas d'infection oculaire.

Traitement

Le vétérinaire prescrira des antibiotiques. Respectez toute la durée du traitement, même en cas d'amélioration. Si la chlamydiose n'est pas traitée rapidement et efficacement, elle peut infecter les appareils digestif et reproducteur et entraîner des difficultés de reproduction chez la chatte.

Gale auriculaire

C'est une infection parasitaire des oreilles.

Symptômes

Le chat se gratte sans cesse les oreilles. La gale se manifeste par une accumulation de cérumen et la présence de minuscules points noirs – des taches de sang séché. Cette infection peut s'étendre par le conduit auditif jusqu'à l'oreille moyenne et provoquer une perte d'équilibre chez le chat. L'animal est alors incapable de garder sa tête droite et, dans les cas les plus graves, est sujet à des chutes fréquentes.

La chlamydiose féline, fréquente chez les chatons âgés de 1 à 9 mois, provoque une conjonctivite.

Causes

La gale auriculaire, une infection courante chez les chats et les petits rongeurs, est due à un parasite externe, l'otodecte (*Otodectes cynotis*).

Que faire ?

Contactez votre vétérinaire si votre chat manifeste les symptômes de la gale auriculaire, en particulier s'il souffre d'une perte d'équilibre. Tous les animaux ayant été en contact avec le chat infecté doivent aussi être traités, la gale des oreilles pouvant les avoir contaminés, quand bien même ils ne manifestent aucun symptôme pendant un certain temps.

Traitement

Dans les cas les plus bénins, votre vétérinaire vous prescrira des gouttes auriculaires, et des anti-inflammatoires si

En l'absence de traitement, l'irritation due à la gale auriculaire pousse le chat à se gratter sans cesse, parfois jusqu'au sang.

les oreilles du chat sont irritées. La gale auriculaire se soigne très bien si elle est prise à temps. Les otodectes sont des parasites blancs ou incolores, invisibles à l'œil nu. Pour les voir, prenez une loupe ou un otoscope (mais comme ces petites bestioles se cachent sous le cérumen, même un otoscope peut ne pas suffire). L'otoscope est un tube muni d'un dispositif d'éclairage destiné à examiner l'intérieur de l'oreille.

Otite

L'otite, inflammation du conduit auditif externe (otite externe) ou de la caisse du tympan (otite moyenne), est l'une des affections les plus courantes chez le chat. Elle peut toucher une seule oreille ou les deux.

Symptômes

Le chat se gratte les oreilles et secoue la tête, une odeur nauséabonde émane de ses oreilles, un écoulement plus ou moins purulent en sort, le pavillon et/ou l'ouverture du canal auditif est rouge et enflammé, et l'animal siffle

contre tous ceux qui essaient de toucher ses oreilles.

Causes

Normalement, la quantité de cérumen produite dans l'oreille d'un chat équivaut à celle qui s'élimine naturellement. L'essentiel du cérumen s'évacue par évaporation de l'eau qu'il contient. Des problèmes peuvent survenir lorsque les oreilles ne sont pas correctement ventilées, ce qui provoque une accumulation de cérumen. Ce dépôt excessif est source d'une irritation qui, à son tour, stimule la production de cérumen par l'oreille. Les conditions sont alors réunies pour favoriser le développement de champignons et de bactéries normalement inoffensifs. La gale auriculaire, un corps étranger dans l'oreille et des problèmes de peau peuvent aussi déclencher une otite.

Que faire ?

Conduisez votre chat le plus tôt possible chez le vétérinaire si ses oreilles sont irritées ; immédiatement si vous suspectez la présence d'un corps étranger. N'essayez jamais d'extraire vous-même un objet coincé, car vous risqueriez d'endommager définitivement l'oreille de votre chat. N'administrez un médicament que sur avis de votre vétérinaire et ne tentez pas d'introduire un objet solide (Coton-Tige, par exemple) dans l'oreille du chat sous peine de l'abîmer. Ne stoppez pas un écoulement éventuel tant que le vétérinaire ne l'a pas examiné pour trouver l'origine du problème.

Traitement

Évacuation du cérumen et traitement local sous forme de gouttes auriculaires ou de pommade. Quel que soit le traitement prescrit, il est important que vous suiviez à la lettre les recommandations du vétérinaire et que vous alliez jusqu'au bout du traitement. Dans des cas graves d'otite récidivante, une opération chirurgicale peut être nécessaire pour améliorer l'aération de l'oreille moyenne. Bien que l'otite ne soit pas en elle-même un problème grave, elle peut devenir chronique si elle n'est pas traitée correctement, entraînant alors des lésions organiques et des troubles de l'audition importants.

Blessures de l'oreille

Il s'agit de morsures et de griffures à l'oreille.

Symptômes

Toute blessure à l'oreille, quel que soit son degré de gravité, saigne beaucoup. La blessure ne fait pas vraiment mal au chat, mais l'irritation produite par l'écoulement de sang va le pousser à se gratter et à secouer la tête.

Causes

Les bagarres sont souvent à l'origine de griffures et de morsures aux oreilles, mais certains chats (de ferme, en particulier) peuvent se blesser les oreilles dans la vie quotidienne.

Que faire ?

Tenir fermement le chat et nettoyer les blessures à l'aide d'une solution saline. Il sera ensuite plus facile d'apprécier leur étendue et leur gravité. Si les plaies sont importantes, le vétérinaire vous conseillera certainement de les suturer.

Traitement

Après avoir nettoyé les plaies, appliquez un antiseptique en pommade ou en lotion sur les petites blessures. Si vous constatez l'apparition d'une inflammation dans les jours qui suivent, consultez votre vétérinaire qui vous prescrira éventuellement un antibiotique.

Insuffisance rénale

L'insuffisance rénale est certainement le problème le plus répandu chez les chats âgés. Elle peut aussi révéler la présence d'une maladie polykystique des reins (MPR), affection congénitale qui touche souvent les Persans.

Des blessures du pavillon de l'oreille non traitées peuvent s'infecter sérieusement.

Les soins intensifs de longue durée nécessités par l'insuffisance rénale coûtent très cher.

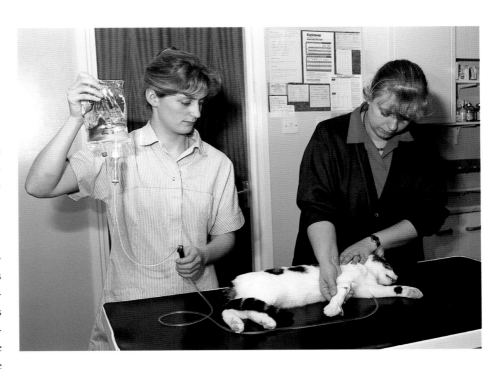

Symptômes

Soif excessive, hausse du volume ou de la fréquence des mictions, vomissements, diarrhée, perte d'appétit, amaigrissement, halitose et anémie.

Causes

Pour différentes raisons, parmi lesquelles on trouve des infections et des lésions organiques, les néphrons (unités fonctionnelles des reins, chargées d'éliminer les déchets du sang) ne remplissent plus correctement leur rôle, ce qui entraîne une insuffisance rénale chronique. C'est une maladie extrêmement grave et généralement irréversible, qui touche très rarement les chats âgés de moins de 5 ans.

Que faire ?

L'insuffisance rénale met la vie du chat en danger. Alors n'hésitez pas à contacter votre vétérinaire si vous pensez que votre animal en souffre.

Traitement

Le traitement, qui peut inclure une période de soins intensifs durant laquelle le chat est nourri par perfusion, associe un régime alimentaire adapté, une vie calme et certains médicaments. Mais à terme, une insuffisance rénale étant toujours fatale, vous devez envisager l'euthanasie.

Typhus

Cette maladie virale, encore appelée leucopénie infectieuse féline, très répandue et dont l'issue est souvent fatale, s'attaque aux globules blancs du chat et à son système digestif.

Symptômes

Perte d'appétit, vomissements incessants et/ou diarrhée, entre autres.

Causes

Le chat infecté par le virus contamine ses congénères directement, à partir des fèces et des urines, ou indirectement par un milieu souillé.

Que faire ?

La maladie étant très contagieuse, isolez le chat atteint. Le vaccin et ses rappels réguliers constituent une prévention efficace. Toutefois, on évite de vacciner les chattes en gestation.

Traitement

Il n'existe pas de véritable traitement, mais uniquement des soins assidus pour soulager les symptômes. Conduisez votre chat d'urgence chez le vétérinaire s'il manifeste tous les symptômes du typhus. Une infection grave peut tuer un chaton ou un jeune chat en quelques jours.

Diabète sucré

Le chat atteint par ce trouble hormonal est incapable de réguler son taux de sucre dans le sang.

Symptômes

Augmentation de l'appétit, en particulier associée à d'autres symptômes comme une polyurie (urines abondantes), une léthargie, une perte de poids et éventuellement une cataracte. Très souvent, des symptômes de diabète sucré apparaissent chez la chatte dès qu'elle a atteint sa maturité sexuelle. La plupart des symptômes du diabète sucré se retrouvent dans d'autres maladies moins graves ou des cas non pathologiques. Par exemple, une soif accrue peut simplement être due à une alimentation à base d'aliments secs.

Causes

Hyperglycémie (augmentation du taux de sucre dans le sang) due à une insuffisance de production d'insuline par le pancréas ou à l'inefficacité de cette hormone à réguler le métabolisme du glucose. Le diabète sucré est le plus fréquent chez les chats âgés de plus de 8 ans. En raison du taux accru de progestérone dans le sang au cours des grossesses nerveuses, les chattes non stérilisées sont au moins trois fois plus sujettes au diabète sucré. Quant aux chats obèses, mâles ou femelles, ils constituent également une population à risque.

Que faire ?

Si votre chat manifeste des signes de diabète, conduisez-le chez votre vétérinaire pour le faire examiner.

Traitement

Il s'agit d'un traitement à long terme, qui nécessite des injections régulières d'insuline et la prise de médicaments. Sachez donc que la charge financière peut être élevée et que vous devrez consacrer beaucoup de temps à votre chat. En général, vous serez tenu d'effectuer un prélèvement d'urine tous les matins, de l'analyser pour vérifier le taux de glucose, de calculer la dose d'insuline nécessaire, de l'administrer par injection et de nourrir votre animal à heures fixes et selon un régime alimentaire très strict (particulièrement riche en fibres). Mais votre vétérinaire vous conseillera dans tous ces domaines. La stérilisation d'une chatte permettra de stabiliser sa maladie.

Diabète insipide

Il s'agit d'une fuite de l'eau par les reins, l'organisme étant incapable de contrôler l'utilisation de cet élément.

Symptômes

Ils incluent une polydipsie (soif excessive) et une polyurie (accroissement des quantités d'urine émises).

Causes

Le diabète insipide est dû à une insuffisance de la sécrétion de vasopressine, hormone antidiurétique produite par l'hypophyse, ou à une incapacité des reins à réagir à cette hormone. Normalement, la production de vasopressine augmente en cas de faible apport d'eau (le volume des urines diminue) et diminue lorsque le chat boit beaucoup (le volume des urines augmente), contribuant ainsi à réguler la quantité d'eau dans l'organisme.

Que faire ?

Si vous constatez, après quelque temps d'observation, que la consommation d'eau de votre chat est anormalement élevée, vous devez le conduire au plus tôt chez votre vétérinaire.

Traitement

Selon la forme de diabète insipide que présente le chat, le vétérinaire pourra, par exemple, vous prescrire l'administration de vasopressine par voie nasale (gouttes).

Une faim vorace est parfois le signe d'un diabète sucré.

Soif insuffisante ou excessive

C'est un symptôme et non une maladie : le besoin de boire est accru ou diminué.

Description

Le chat boit davantage ou moins d'eau que d'habitude, ses mictions étant plus fréquentes ou plus rares.

Causes

Il peut s'agir d'une cystite, d'une infestation par des ténias, d'un diabète insipide ou d'un diabète sucré.

Que faire ?

Examinez les urines de votre chat : si vous le connaissez bien, vous détecterez aussitôt le moindre changement. La cystite se caractérise par une gêne et une difficulté à uriner, tandis qu'une infestation par les ténias se traduit par

Une soif accrue peut aussi être due à une nourriture à base d'aliments secs.

la présence de vers dans les selles et de minuscules segments blancs séchés dans les poils situés autour de l'anus.

Traitement

Si les ténias sont responsables, on prescrira à votre chat un vermifuge, si c'est une cystite, des antibiotiques.

Leucose féline (FeLV)

Cette maladie virale s'attaque au système immunitaire du chat et provoque une baisse des défenses de son organisme.

Symptômes

Léthargie, fièvre, perte d'appétit et inflammation des ganglions lymphatiques dans la région du cou, au niveau des aisselles et de l'aine.

Causes

Un rétrovirus présent dans le sang, le sperme et la salive. La contamination se fait par voie sexuelle et par blessures consécutives à des morsures.

Que faire ?

La période d'incubation pouvant durer trois ans, ne vous précipitez pas chez le vétérinaire, sauf si votre chat manifeste des symptômes sévères qui le gênent ou le font souffrir.

Les morsures lors des bagarres représentent une voie de transmission courante du virus de la leucose féline.

Traitement

Cette maladie est incurable. De nombreux chats finissent pourtant par se rétablir tout seuls, mais restent porteurs du virus et susceptibles de contaminer leurs congénères au moindre contact. Si vous possédez plusieurs chats, le vétérinaire vous conseillera de faire piquer le chat malade pour réduire le risque de contamination. Si vous n'avez qu'un seul chat, ne l'autorisez pas à sortir, car il risquerait d'entrer en contact avec des congénères du quartier et de les contaminer. Certains propriétaires choisissent l'euthanasie pour limiter la contamination au sein de la population féline. Il existe un vaccin efficace et il est conseillé de procéder à un rappel annuel.

Péritonite infectieuse féline (PIF)

Cette maladie virale, qui frappe surtout les chats âgés de moins de 3 ans, est très contagieuse et donc particulièrement dangereuse dans les foyers qui abritent plusieurs chats.

Symptômes

Perte d'appétit, ventre gonflé, amaigrissement, difficultés respiratoires et fièvre, entre autres.

Causes

Une mutation du coronavirus félin. Les chats se contaminent directement ou indirectement.

Que faire ?

Isoler le chat malade et consulter d'urgence le vétérinaire.

Traitement

La péritonite infectieuse féline est incurable et mortelle. Il n'existe aucun vaccin en France pour s'en prémunir. Il est donc préférable de faire piquer son chat pour lui éviter de souffrir.

Immunodéficience féline (FIV)

Cette maladie, également appelée SIDA du chat, est due à un virus qui parasite l'ARN (acide ribonucléique), qui intervient dans la fabrication des protéines à l'intérieur des cellules de l'organisme. Elle s'attaque aux défenses immunitaires du chat.

Symptômes

Cette infection a les symptômes des affections que provoque la déficience du système immunitaire du chat et n'a pas réellement de symptômes propres.

Causes

Le rétrovirus (FIV) se multiplie dans les globules blancs et se transmet souvent par morsures entre congénères.

Que faire ?

Si vous pensez que votre chat a été contaminé par le virus de l'immunodéficience féline, conduisez-le chez le vétérinaire. Les chats infectés souffrent de longues maladies chroniques, d'amaigrissement et d'autres troubles débilitants liées aux affections que leur système immunitaire n'arrive plus à combattre.

Traitement

Il n'existe actuellement aucun moyen de traiter cette maladie virale et l'euthanasie est généralement conseillée.

Obésité

L'obésité n'est pas réservée aux êtres humains. De nombreux animaux domestiques reçoivent trop à manger et ne font pas suffisamment d'exercice.

Symptômes

Le chat présente un surpoids important et des bourrelets graisseux sous la peau. Il peut également souffrir de difficultés respiratoires et se montrer réticent à toute forme d'exercice. Les chats obèses sont souvent prédisposés à des problèmes articulaires et à une fatigue de leurs organes vitaux (notamment, insuffisance cardiaque).

Causes

L'âge, le manque d'exercice, la suralimentation ou un régime alimentaire mal équilibré.

Les chats âgés sont sujets à l'obésité s'ils ne font pas suffisamment d'exercice.

Que faire ?

Consultez votre vétérinaire pour un régime alimentaire adapté.

Traitement

Incitez votre chat à jouer davantage et cachez sa nourriture dans la maison, comme s'il devait « chasser » pour l'obtenir, ce qui favorise la dépense d'énergie. Suivez à la lettre le régime alimentaire prescrit par le vétérinaire. Si votre chat est âgé, il bénéficiera certainement d'un régime « basses calories ».

Coup de chaleur

Fièvre causée par une défaillance du système de régulation de la température corporelle lors d'une exposition à des températures très élevées.

Symptômes

Agitation et détresse extrême. Le chat commence par se coucher sur le flanc et à haleter énormément, puis il bave et titube comme s'il avait bu. Vous devez réagir et faire quelque chose pour lui, sinon il va avoir un malaise, tomber dans le coma et mourir.

Causes

Généralement, le chat est resté tout seul dans la voiture pendant que son propriétaire faisait des courses. Il peut aussi avoir été enfermé pendant un long trajet. À l'intérieur d'une voiture l'aération est insuffisante et la température peut s'élever très rapidement, même sous un doux soleil de printemps ou d'automne.

Que faire ?

Vous devez agir rapidement. Si le cas n'est pas trop grave, transportez-le simplement dans un endroit frais et bien ventilé.

Les chats cherchent naturellement l'ombre ou se réfugient dans une pièce plus fraîche de la maison lorsqu'ils commencent à avoir trop chaud.

Traitement

Si le cas est sérieux, rafraîchissez votre chat en l'aspergeant doucement d'eau froide dans une douche, au tuyau d'arrosage, ou en versant des cuvettes d'eau froide sur lui. Dans les cas vraiment très préoccupants, enveloppez-le dans des serviettes mouillées (y compris la tête, mais pas le nez ni la bouche) et aspergez-le à l'eau froide. Appelez d'urgence le vétérinaire. Dans tous les cas, il est vital de refroidir la tête de l'animal car son cerveau peut « cuire » et entraîner une mort cérébrale.

Dermatite par allergie aux piqûres de puces

C'est une irritation de la peau à l'endroit des piqûres et autour.

Symptômes

Zones cutanées rouges et très irritées, avec présence de croûtes, le chat se grattant sans cesse. Les zones atteintes peuvent être réparties sur tout le corps ou être, au contraire, très localisées – à la base de la queue ou derrière les oreilles, par exemple. Certains chats sont plus sensibles que d'autres aux piqûres de puces : des démangeaisons intenses les font se gratter jusqu'au sang.

Causes

Les puces piquent le chat pour se nourrir de son sang et l'animal est allergique à leur salive.

Que faire ?

Consulter le vétérinaire.

Traitement

Le chat peut avoir besoin d'un traitement pour calmer les démangeaisons et l'irritation. Il sera associé à un insecticide pour tuer les puces et prévenir une nouvelle infestation.

Teigne

Il s'agit d'une mycose (affection due à un champignon) de la peau.

Symptômes

Le chat se gratte, souffre d'alopécie (chute de poils localisée et souvent circulaire), présente une desquamation de la peau aux endroits affectés, ainsi que des croûtes.

Causes

Des champignons du genre Microsporum et Trichophyton. Leurs spores peuvent être transportées par le vent ou présentes dans le sol.

Que faire ?

Certains de ces agents mycosiques sont transmissibles à l'homme et aux autres animaux, alors prenez rapidement les mesures nécessaires. Seul votre vétérinaire est habilité à prescrire un traitement efficace : consultez-le sans tarder.

Traitement

Un shampoing fongicide contribuera à éliminer les champignons. Il peut parfois être complété par une application locale de lotion fongicide.

Une chute de poils localisée, souvent circulaire, et une peau squameuse peuvent révéler une teigne.

Les thérapies complémentaires

Les vétérinaires sont de plus en plus nombreux à adopter une approche plus naturelle pour soigner les animaux malades, notamment les chats. Par opposition à la médecine allopathique qui utilise des médicaments de synthèse, les thérapies complémentaires, ou médecines alternatives, parallèles ou douces, sont naturelles et traditionnelles. Elles s'inscrivent dans la tendance actuelle à une vision holistique, c'est-à-dire plus globale, dans laquelle l'animal entier est pris en considération, plutôt que son seul état physique. Le diagnostic holistique prend en compte tous les éléments ci-contre.

Critères

- ✓ état général du chat
- ✓ santé mentale
- ✓ environnement
- ✓ exercice
- ✓ routine quotidienne
- ✓ compagnie
- ✓ nutrition (aliments et eau)
- ✓ hygiène

Quel traitement ?

Après avoir déterminé de quoi le chat souffrait et pourquoi, le vétérinaire ou le praticien va se demander quel traitement appliquer. Dans certains cas, il s'agit simplement d'améliorer l'environnement dans lequel vit l'animal, d'accroître ses dépenses physiques ou de changer son régime alimentaire. Dans d'autres cas, un « vrai » traitement médical – comme l'acupuncture, par exemple – peut avoir des effets très positifs. Dans d'autres cas encore, il peut être intéressant de rappeler au maître qu'il est propriétaire d'un animal justement dit « de compagnie » et qu'en lui offrant davantage de compagnie, il peut contribuer à soulager bien des problèmes de santé liés à un état anxieux.

Est-ce que ça marche ?

Les vétérinaires et les propriétaires d'animaux sont de plus en plus nombreux à être convaincus de l'efficacité des thérapies complémentaires et à les recommander, preuves à l'appui. Pour certaines thérapies (celles pratiquées par les guérisseurs et les magnétiseurs, en particulier), les recherches scientifiques visant à prouver leur efficacité semblent rares. Il s'agit pourtant de remèdes utilisés depuis la nuit des temps et on peut raisonnablement penser qu'ils n'auraient pas traversé les âges pour arriver jusqu'à nous s'ils n'avaient aucune efficacité. Le pire qui puisse arriver avec la plupart de ces thérapies – à condition, bien sûr, d'être pratiquées par des personnes compétentes – c'est de ne produire aucun effet sur l'animal.

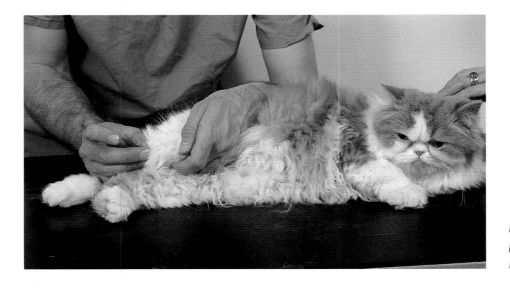

L'acupuncture est utilisée depuis des millénaires pour traiter toutes sortes de pathologies – à la fois humaines et animales.

Conseil

Les thérapies complémentaires ne doivent pas être considérées comme des solutions à n'utiliser qu'en dernier ressort, mais comme des méthodes curatives à part entière, qui ont fait leur preuve et méritent d'être essayées. Les problèmes de santé susceptibles d'être atténués, voire supprimés par les médecines naturelles sont nombreux, parmi lesquels les intoxications, le diabète sucré, l'arthrose, la gingivite, la constipation, le cancer, la nervosité, l'agressivité, les maladies de peau, les parasites internes et externes et les troubles des glandes anales. Renseignez-vous sur les praticiens qui exercent dans votre région ou votre quartier.

Comment les utiliser ?

Ces thérapies sont dites « complémentaires » parce que la plupart se complètent entre elles et peuvent être utilisées parallèlement ou conjointement à la médecine classique. D'ailleurs, l'association d'au moins deux thérapies dans le traitement d'un problème de santé particulier permet souvent d'obtenir de meilleurs résultats ou des guérisons plus rapides.

Comment trouver un praticien ?

Les vétérinaires sont de plus en plus nombreux à utiliser les médecines dites douces. Toutefois, certaines thérapies sont beaucoup plus répandues que d'autres – telle l'homéopathie, utilisée par 10 % des vétérinaires environ. Votre vétérinaire habituel, s'il ne pratique pas personnellement la thérapie qui vous intéresse pour soigner votre chat, peut vous adresser à un praticien de bonne réputation. S'il n'en connaît pas, adressez-vous (en France) à l'Institut de médecine énergétique vétérinaire (IMEV) ou faites des recherches sur Internet.

Question habituelle

Q Mon vétérinaire est un peu vieux jeu et ne se montre pas particulièrement ouvert aux médecines alternatives. Or, j'aimerais que mon chat soit soigné par des traitements naturels le plus souvent possible. Que dois-je faire ?

R Si votre vétérinaire ne peut ou ne veut pas vous envoyer à un praticien spécialisé dans les thérapies complémentaires, je vous conseille de contacter plusieurs cliniques vétérinaires pour leur demander si elles pratiquent la thérapie que vous recherchez, ou de vous adresser à un organisme tel que l'IMEV. Vous êtes parfaitement en droit d'agir ainsi – après tout, c'est la santé de votre chat qui compte et non ce que pense votre vétérinaire. L'idéal est, bien sûr, de tomber sur un praticien proche de chez vous, car plus il sera éloigné de votre domicile, plus le trajet sera long en cas d'urgence.

Pratiquées par des professionnels compétents, les thérapies complémentaires peuvent donner des résultats quasi miraculeux.

THÉRAPIE	DE QUOI S'AGIT-IL ?
Acupuncture	De fines aiguilles spéciales, en cuivre ou en acier, sont utilisées pour piquer certains points du corps le long des méridiens, en vue de soigner telle ou telle maladie, ou de soulager le stress mental de l'animal. Ce traitement est réputé soulager la douleur, guérir des lésions, stimuler des substances produites naturellement par l'organisme pour engendrer un sentiment de bien-être, augmenter l'appétit et élever les niveaux d'énergie.
Aromathérapie	Des huiles essentielles – diluées, pures ou mélangées à une base huileuse – servent à traiter les maladies. Le praticien les utilise, soit en laissant le chat choisir et respirer certaines huiles en fonction de ce que lui dicte son corps, soit en les lui appliquant localement sur la peau. L'aromathérapie est utilisée pour toutes sortes de maladies ou affections, des problèmes de puces aux troubles émotionnels.
Chiropraxie	Thérapeutique manuelle visant à soigner différents troubles fonctionnels et pathologies mécaniques, surtout au niveau de la colonne vertébrale. Elle peut être utile en cas de douleurs dorsales, de claudication et de blessures articulaires.
Cristallothérapie	Chaque type de cristal émet une vibration énergétique particulière et peut donc soulager certains troubles physiques ou psychologiques. Après identification des symptômes et détermination de leur(s) cause(s), le praticien choisit telle ou telle pierre que l'animal devra porter ou avoir à proximité de son corps – dans son couchage, par exemple.
Digitopuncture	Le praticien applique ses doigts par pression sur certains points du corps, en vue d'induire chez l'animal des réactions identiques à celles provoquées par l'acupuncture.
Florathérapie (fleurs de Bach)	Traitement à base d'essences florales issues de pétales de fleurs spécifiques, qui macèrent dans de l'eau (additionnée d'un peu d'alcool pour améliorer la conservation), et transfèrent leurs propriétés thérapeutiques au liquide. Il existe un large éventail d'essences florales adaptées à toutes sortes de problèmes comportementaux, comme l'anxiété, l'agressivité, la crainte ou la peur. Elles semblent également soulager les troubles physiques s'ils sont liés à un problème psychologique ou émotionnel.
Guérison spirituelle	Les guérisseurs pratiquent l'imposition des mains sur la région malade et soignent l'animal en lui transmettant leurs pouvoirs de guérison. Ils ne sont pas reconnus officiellement, mais on leur prête de pouvoir guérir toutes sortes de maladies souvent incurables comme le cancer, même si le résultat n'est jamais garanti. Le taux de guérison dépend beaucoup du chat lui-même, un individu unique plus ou moins réceptif aux vibrations transmises.
Homéopathie	Méthode thérapeutique utilisant des substances d'origine animale, végétale ou minérale et fondée sur le principe de similitude : si une substance, prise à dose élevée, produit sur l'animal sain des symptômes morbides, elle peut, à dose infinitésimale, guérir ces mêmes symptômes. Les remèdes homéopathiques sont issus de sources aussi insolites que le plomb, le venin de serpent, l'arsenic, le jaune d'œuf et des extraits de tissus animaux, entre autres.

THÉRAPIE	DE QUOI S'AGIT-IL ?
Iridologie	Médecine douce qui permet de diagnostiquer des maladies à partir de l'examen de l'iris. Des modifications infimes de sa couleur et de sa forme peuvent informer le praticien sur l'état de santé de l'animal, le type de maladie dont il souffre et sa localisation, mais également sur sa prédisposition à développer telle ou telle maladie.
Kinésithérapie	Discipline qui utilise le massage, ainsi que la rééducation fonctionnelle et motrice par des mouvements actifs et passifs.
Magnétisme ou magnétothérapie	Application d'aimants pour induire la guérison grâce à l'afflux de sang dans la zone atteinte.
Ostéopathie	Manipulation et ajustement des muscles et des ligaments dans le but de calmer la douleur.
Phytothérapie	Traitement des maladies par les plantes, par voie interne ou externe. L'écorce de saule, par exemple, contient du salicoside, un analgésique, tandis que la digitale renferme la digitaline, un cardiotonique. Autres exemples : l'infusion de mauve peut être utilisée pour réduire le gonflement d'une partie du corps ; la consoude peut être administrée par voie interne en vue d'accélérer la guérison des fractures.
Radiesthésie	Il ne s'agit pas d'une thérapie, mais d'une méthode de diagnostic au moyen d'une baguette ou d'un pendule tenu au-dessus de l'animal.
Réflexologie	Traitement des troubles organiques par pression sur certaines articulations.
Sels régénérants	Appelés également sels de Schüssler. Forme d'homéopathie qui utilise 12 sels minéraux énergisés.
Thérapie par les couleurs	Les couleurs influent sur l'état physique et mental, et peuvent donc être utilisées pour traiter différentes affections.
Ttouch ou Tellington touch	Appelé également « toucher Tellington ». Il s'agit de touchers thérapeutiques à base de petits massages doux et circulaires, avec une pression plus ou moins grande, du bout des doigts et de la paume de la main, sur différents endroits du corps pour activer le fonctionnement des cellules et réveiller « l'intelligence cellulaire ». L'énergie bloquée est libérée, ce qui diminue la douleur, la peur ou le stress de l'animal.

LA VIEILLESSE ET LA MORT

La compagnie d'un chat âgé en bonne santé est délicieuse et apaisante, tout aussi gratifiante que celle d'un chaton, mais différemment. S'occuper d'un chat âgé passe par quelques modifications de son régime alimentaire et par un peu d'indulgence : tenez compte de son âge ! Mais vous verrez : vos efforts seront récompensés et ce qu'il vous offrira en échange vous comblera.

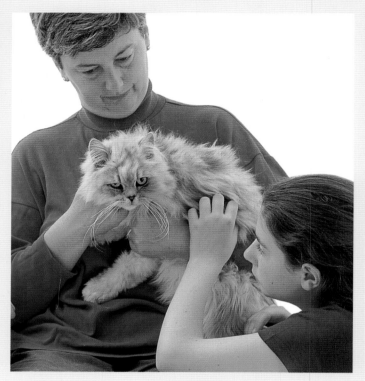

Prendre soin d'un chat âgé

Un chat peut être considéré comme âgé lorsqu'il devient nettement moins actif et passe plus de temps à dormir. Il devient plus susceptible, car plus fragile, et plus prudent dans ses mouvements, qui sont moins assurés. Il n'a généralement plus envie de jouer, mais montre ce qu'il sait faire si on le provoque ou l'offense.

Ses besoins sont différents de ceux d'un chaton ou d'un chat adulte, mais tout aussi importants et dignes d'être satisfaits. Vous devez tout faire pour qu'il puisse continuer à mener une vie heureuse.

Critères

✔ beaucoup d'amour et d'affection
✔ une attention particulière pour dents et griffes
✔ un régime soigneusement adapté
✔ une aide à la toilette
✔ une visite chez le vétérinaire deux fois par an
✔ patience et compréhension si incontinence
✔ une routine quotidienne constante
✔ éviter les bouleversements
✔ beaucoup de sommeil

Une vie stable et un maître indulgent

Comme les êtres âgés, les chats n'aiment pas voir leurs habitudes de vie bouleversées, car cela les perturbe. Si vous êtes confronté à des changements inévitables dans votre vie, essayez de les intégrer progressivement pour donner à votre chat le temps de s'y adapter. C'est à vous de faire le maximum en vue d'assurer le bien-être de votre compagnon âgé.

Si votre chat souffre d'une maladie chronique, attendez-vous à ce que son comportement s'en trouve perturbé. Un chat jusque-là parfaitement propre peut devenir sujet à des fuites urinaires et tacher vos chaises ou vos tapis. Si c'est le cas, l'idéal serait de le laisser aller et venir uniquement dans des endroits de la maison où ses « petits accidents » sont sans importance, mais il ne s'agit surtout pas de l'enfermer ni de

Les chats très âgés sommeillent toute la journée dans leur coin préféré, un endroit confortable où ils se sentent en sécurité et parfaitement tranquilles.

le couper de sa famille, ce qui serait injuste et cruel. Il serait tout aussi infâme de le punir ou de le chasser de la maison pour un acte dont il n'est absolument pas responsable. Les tapis se remplacent, alors que l'animal que vous avez choisi pour être à vos côtés tous les jours de votre vie est unique et irremplaçable.

De la compagnie

Certains maîtres envisagent d'acquérir un chaton en voyant vieillir leur chat. Bonne ou mauvaise décision ? Tout dépend du tempérament et de la nature du chat âgé. Cette compagnie peut le stimuler et lui redonner goût à la vie, mais il peut aussi ne jamais accepter la présence du chaton, se déprimer, s'isoler, cesser de s'alimenter et finir par tomber gravement malade. Si votre chat âgé est le seul animal du foyer et l'a toujours été, renoncez à acquérir un autre chat ou un chaton pour éviter de le perturber profondément.

Si votre chat vous sollicite de plus en plus, accordez-lui un maximum d'attention et rassurez-le constamment. Si nécessaire, vous pouvez même transférer son couchage dans votre chambre à coucher pour la nuit. Pendant votre absence, n'hésitez pas à laisser la radio allumée – faiblement, bien sûr – si vous sentez que votre animal a besoin de compagnie.

Un régime alimentaire adapté

Vous trouverez dans le commerce des aliments spécialement formulés pour les « seniors ». Ils renferment tous les éléments nutritifs dont ont besoin nos vieux compagnons pour rester en forme le plus longtemps possible, et permettent de retarder

Les chats âgés sont plus sujets à la constipation. Alors surveillez le vôtre et, si vous constatez qu'il est constipé, conduisez-le chez le vétérinaire.

ou de réduire les effets du vieillissement et des pathologies associées. Mais, le plus sage est de demander conseil à votre vétérinaire sur le type de nourriture le mieux adapté à votre chat. Ainsi, s'il souffre de troubles urinaires, se verra-t-il interdire une alimentation exclusivement à base de croquettes. Reportez-vous également aux pp. 38-45 sur l'alimentation.

En vieillissant, le métabolisme ralentit, d'où une tendance à l'obésité chez certains chats. Une surveillance alimentaire est alors nécessaire.

Question habituelle

Q Comment convertir l'âge réel d'un chat en équivalent humain ?

R Un chat de 1 an correspond à un humain d'environ 15 ans. À cet âge, l'animal est considéré comme physiquement adulte, mais tout dépend de sa race et de sa variété. Un âge félin de 14 mois équivaut à un âge humain de 18 ans. Et 2 ans chez le chat correspondent à 24 ans chez l'homme. À partir de cet âge de 2 ans, il faut ajouter 4 ans aux 24 ans de l'homme pour chaque année vécue par l'animal. Exemple : un chat de 10 ans équivaut à un humain de 56 ans et un chat de 16 ans à un humain de 80 ans.

CI-CONTRE *Son organisme régulant moins efficacement qu'avant sa température interne, le chat âgé recherche la chaleur – comme ici, étendu de tout son long sur le lave-linge. Et par temps froid ou humide, il préfère rester au chaud à l'intérieur.*

CI-DESSOUS *Un chat âgé autorisé à aller se balader dehors doit être surveillé de près, surtout s'il est sénile, aveugle ou sourd. Il risque de se perdre, d'être la proie de prédateurs ou de se faire écraser sur la route.*

Faits félins

- Si vous ignorez la date de naissance de votre chat, il vous sera très difficile de déterminer son âge avec précision, car entre 3 et 13 ans un chat adulte en bonne santé et actif ne présente aucun signe de vieillissement particulier, au contraire des chiens.
- Aujourd'hui, les chats vivent en moyenne 14 ans, grâce à l'amélioration de la médecine vétérinaire et de l'alimentation. Beaucoup atteignent même 20 ans et se portent relativement bien pour leur âge, quoique leur aspect soit un peu négligé.

Dents gâtées et gencives enflammées sont fréquentes chez le chat âgé. Il est alors préférable de lui donner des aliments humides ou demi-secs, plus faciles à manger. Et n'oubliez jamais de mettre de l'eau propre et fraîche à sa disposition.

Le chat âgé défend sa gamelle moins efficacement qu'avant. Alors, si vous avez d'autres chats et/ou des chiens à la maison, veillez à ce qu'ils ne puissent pas lui voler ses repas ou l'intimider pendant qu'il mange et le faire fuir.

Avec l'âge, le chat devient moins actif et grossit donc plus facilement, ce qui risque de fatiguer son cœur et ses arti-culations. Vous devez donc surveiller régulièrement son poids. Mais à l'inverse il peut aussi maigrir rapidement, voire mourir de faim si, pour une raison quelconque, il ne s'alimente pas. Pour toutes ces raisons, il est conseillé de peser son animal toutes les semaines. Voici une astuce pour faciliter la pesée : commencez par vous peser sans votre chat, puis prenez-le avec vous sur la balance – la différence correspond au poids du chat. Il est encore plus commode de demander à quelqu'un de lire le chiffre qui figure sur la balance.

Les problèmes de santé du chat âgé

Avec l'âge, les tissus organiques se détériorent progressivement. C'est un processus inévitable et irréversible, même si les effets du vieillissement peuvent être atténués par des soins adaptés, prodigués par le vétérinaire et le maître de l'animal. Les chats âgés sont sujets :

- à des blessures de leurs griffes – qu'ils rétractent moins efficacement ;
- aux affections de la peau et du pelage, car ils ont plus de mal à se lécher ;
- à des troubles liés au froid, car la régulation de leur température interne est moins bonne ;
- à la constipation, due à une digestion un peu dégradée ;
- à la surdité ;
- aux maladies cardio-vasculaires ;
- à l'hypertension ;
- à l'incontinence ;
- aux boules de poils bloquées dans l'appareil digestif ;
- aux blessures en raison de leur manque d'agilité ;
- aux raideurs articulaires, à l'arthrite et à l'arthrose ;
- aux maladies rénales ;
- à l'insuffisance hépatique ;
- à une perte d'appétit ;
- aux problèmes liés à l'obésité ;
- aux troubles séniles ;
- aux problèmes de vue ;
- aux problèmes bucco-dentaires.

Une soif excessive peut signaler un problème urinaire, qui exige un traitement immédiat.

Consultez votre vétérinaire. Plus le traitement sera rapidement mis en place, plus ses chances de réussite seront grandes, et mieux votre animal vivra ses vieux jours.

Lorsque la fin approche...

Le chat âgé finit par dormir de plus en plus. Il boit beaucoup, mais mange peu. Tant qu'il ne souffre pas, laissez-le vivre ainsi. Mais le jour où sa vessie et ses intestins ne fonctionnent plus correctement, s'il devient incapable de s'alimenter, vous devez demander l'avis de votre vétérinaire : l'euthanasie est souvent le plus beau geste que vous puissiez faire pour permettre à votre compagnon chéri de mourir sans souffrance et avec dignité [voir pp. 186-189].

Conseil

La surveillance ? Voilà le mot-clé pour garder un chat âgé en bonne forme. Un bilan de santé tous les six mois chez le vétérinaire permet de repérer les premiers signes d'une affection ou d'une maladie. En tant que propriétaire, attachez un soin particulier au toilettage de votre chat, car il peut avoir du mal à se lécher s'il souffre d'arthrite ou d'arthrose. Nettoyez-le dans des endroits difficiles d'accès pour lui – le dos, la nuque et le dessous de la queue, en particulier. Coupez régulièrement ses griffes s'il ne les use plus suffisamment dehors ou contre son griffoir.

La mort d'un compagnon

La mort d'un animal de compagnie est une épreuve dou-loureuse pour tous ceux qui l'aimaient et prenaient soin de lui. Nombreux sont les propriétaires à considérer la perte de leur compagnon à quatre pattes comme celle d'un membre de leur famille ou d'un ami intime. Chaque individu possède sa propre manière de gérer une telle épreuve, mais la plupart des maîtres passent par l'en-semble – ou certains – des états mentionnés ci-contre.

Critères

- ✓ anticipation de la perte
- ✓ choc
- ✓ déni
- ✓ colère
- ✓ dépression
- ✓ acceptation

Quelle mort ?

Il existe deux types de mort :

1 la mort naturelle et soudaine, due à un accident ou à une maladie ;

2 l'euthanasie (mort provoquée), en cas d'accident invali-dant, de maladie incurable ou de grande vieillesse : la meilleure chose à faire est alors d'abréger les souffrances de l'animal et d'éviter qu'elles ne s'aggravent.

Dans le premier cas, vous ne serez absolument pas prépa-ré à la disparition de votre chat et le choc sera terrible. De nombreux propriétaires d'animaux se jugent responsables de la mort de leur compagnon et se tourmentent en se disant qu'ils auraient peut-être pu l'éviter en agissant différem-

Fait félin

Parfois, un maître ne supporte pas l'idée de perdre son chat et retarde le moment de le faire piquer, ce qui est compréhen-sible. Mais c'est d'abord à son animal qu'il doit penser, quelle que soit sa douleur personnelle. Même s'il est difficile de faire face à la perte d'un être cher, l'euthanasie est un véri-table geste d'amour pour abréger ses souffrances.

Si vous connaissez bien votre chat, vous saurez quand le moment sera venu de le laisser partir avec dignité et un minimum de souffrances.

ment. C'est une réaction normale. Mais malheureusement il est impossible de revenir en arrière. Si vous avez perdu votre chat adoré, la meilleure chose à faire est de repenser à tous les instants de bonheur que vous avez passés en sa compagnie et de conserver précieusement ces souvenirs.

L'euthanasie

Si le chat ne meurt pas de sa belle mort, la mort la plus douce qu'il puisse connaître est encore l'euthanasie. Car l'agonie est une mort lente qui fait souffrir le chat inutilement. D'ailleurs, le maître souffre autant de voir son chat souffrir. Tout propriétaire doit donc savoir comment se déroule un acte d'euthanasie, même si assister à la scène ou se la représenter mentalement est difficilement supportable.

Parlez-en d'abord à votre vétérinaire pour décider d'un commun accord s'il est préférable de pratiquer ce geste à domicile ou à la clinique. Et n'oubliez pas de discuter de ce que vous allez faire du corps de l'animal. Une fois que vous vous êtes mis d'accord là-dessus, convenez d'une date, de préférence assez proche pour ne pas prolonger inutilement les souffrances du chat et votre détresse personnelle.

L'euthanasie chez le vétérinaire

Choisissez un jour et une heure où l'affluence n'est pas trop forte au cabinet. Mais si vous pouvez entrer et sortir par une porte privée et éviter ainsi de vous retrouver dans une salle d'attente bondée, cette question est sans importance. Faites-vous accompagner, car vous serez certainement bouleversé, aussi bien avant qu'après. Emportez une couverture si vous envisagez de rapporter le corps de votre chat chez vous.

Gardez votre calme, essayez de rester serein. Restez aux côtés de votre chat pendant l'acte si vous vous sentez capable d'affronter courageusement l'épreuve. Sinon, demeurez à l'écart. Le chat « sent » tout et, si vous êtes dans une profonde détresse, il risque de l'être aussi et de ne pas avoir une mort aussi paisible qu'il le mérite.

L'euthanasie à domicile

C'est une solution plus coûteuse, mais légitime si vous êtes dans l'incapacité de vous rendre chez le vétérinaire, si votre chat est trop malade pour être transporté, si les voyages le perturbent trop ou si vous préférez le voir disparaître dans son environnement familier. Demandez qu'un assistant soit présent pour aider le vétérinaire à calmer le chat et vous soutenir moralement si nécessaire. Se préparer à l'inéluctable ne rend pas la douleur plus supportable.

Le saviez-vous ?

La plupart des vétérinaires sont de vrais amoureux des animaux et devoir les euthanasier (surtout s'ils les connaissent bien) est presque aussi pénible pour eux que pour les propriétaires, bien que cela ne les empêche pas de faire leur devoir professionnel. Ce n'est pas parce qu'un vétérinaire semble détaché vis-à-vis de l'acte qu'il ne ressent rien. Il fait simplement ce qu'il juge bon de faire pour le bien de l'animal et ce n'est pas en pleurant avec le maître qu'il l'aidera à surmonter sa peine. Les vétérinaires sont aujourd'hui plus conscients de la très grande détresse émotionnelle de celui ou celle qui perd son animal et savent mieux y répondre qu'auparavant.

Le jour J, occupez-vous de votre chat comme d'habitude, mais chouchoutez-le encore davantage s'il accepte vos câlins. Il ne comprendra certainement pas pourquoi vous débordez autant d'affection à son égard, mais appréciera beaucoup votre attitude. Vous vous sentirez mieux en essayant de profiter au maximum de ces derniers instants avec lui, si précieux.

La procédure

Correctement effectuée, l'euthanasie est un acte rapide et relativement indolore. Si le chat semble perturbé ou difficile à manipuler et à immobiliser, le vétérinaire lui administre d'abord un sédatif. Il rase l'une de ses pattes antérieures pour identifier précisément la veine dans laquelle le produit létal sera injecté. Puis il administre au chat une dose concentrée de phénobarbital par voie intraveineuse (une overdose de produit anesthésique, en somme). Si le chat est mince, le vétérinaire peut être obligé d'injecter directement le produit dans l'un des reins de l'animal. En quelques secondes, le chat perd conscience, sa respiration cesse et son cœur s'arrête.

Parfois, l'appareil circulatoire ne fonctionne pas bien et la veine qui doit recevoir l'injection létale est difficile à trouver sur la patte antérieure. Le vétérinaire doit alors injecter le produit directement dans le cœur ou les reins. C'est une expérience souvent traumatisante et insupportable pour le maître, alors incapable de tenir et de calmer le chat. Et c'est là que l'expérience et le soutien d'un assistant vétérinaire qui sait comment immobiliser l'animal et vous apporter du réconfort se révèlent bénéfiques pour tout le monde.

Que faire du corps ?

Le vétérinaire peut faire disparaître le corps du chat en le faisant incinérer ou enterrer, selon votre volonté. Mais vous pouvez préférer le rapporter chez vous avant de le faire incinérer vous-même ou de l'enterrer dans un coin de votre jardin. Dans ce dernier cas, creusez un trou suffisamment profond (d'au moins un mètre) et éloigné des conduites d'eau et des nappes phréatiques (votre agence locale pour l'environnement devrait être en mesure de vous renseigner). Autre solution possible : vous adresser à un cimetière pour animaux domestiques – pour chats, en particulier.

Après la mort, le chagrin

Seul quelqu'un qui a perdu un animal peut comprendre la douleur ressentie, et il est important de savoir que le chagrin fait partie intégrante du travail de deuil après la disparition d'un être cher. Le deuil est d'une durée variable selon les individus, certains maîtres arrivant à accepter la perte de leur chat et à se remettre plus facilement que d'autres qui ne réussissent pas à surmonter leur douleur avant des mois, voire des années – et les deux cas sont parfaitement normaux. Quoi qu'il en soit, laissez votre chagrin s'exprimer librement, car refouler sa douleur se répercute toujours négativement sur la santé physique et psychologique.

Réconfort et soutien sont parfois nécessaires

Vous avez l'impression d'avoir à peu près surmonté l'épreuve de la perte de votre chat, et puis tout à coup le chagrin vous submerge de nouveau. Quelque chose ravive en vous des souvenirs de votre compagnon et vous êtes brutalement envahi d'une immense tristesse. Là encore, rien d'anormal. Mais dans ces moments-là n'hésitez pas à chercher le réconfort de membres de votre famille, d'amis ou de personnes qui ont, elles aussi, vécu la perte d'un animal de compagnie.

Si votre chagrin devient insupportable, consultez un médecin compréhensif (pas nécessairement votre médecin habituel) qui vous prescrira peut-être des médicaments pour vous aider à faire face et à revivre normalement. Un soutien psychologique peut aussi constituer une solution efficace pour vous aider à évacuer votre chagrin. Parler à quelqu'un qui sait écouter est souvent bénéfique et libérateur.

Laisser quelque chose qui témoigne concrètement du passage de votre chat sur terre, en signalant l'endroit où il repose par une pierre tombale, un arbre, un arbuste ou une simple plante, peut faciliter le travail de deuil. Vous pourrez aller vous recueillir sur ce lieu pour pleurer votre animal tant aimé autant que vous le souhaiterez et aussi longtemps que vous en ressentirez le besoin.

Question habituelle

Q J'avance en âge et je m'inquiète de savoir ce qu'il adviendra de mon chat si je décède avant lui. Comment puis-je être sûr que mon compagnon à quatre pattes sera correctement pris en charge après ma mort ?

R C'est un véritable problème pour les propriétaires d'un certain âge, qui ont des problèmes de santé ou qui savent qu'ils disparaîtront avant leur animal. Si aucun membre ni ami de la famille n'accepte de prendre définitivement le chat ou si le défunt n'a plus de famille, un refuge ou une fondation pour animaux se chargera de lui trouver un foyer d'adoption où il se sentira bien. Mais le mieux est de contacter à l'avance un organisme et de prendre avec lui toutes les dispositions nécessaires en cas de décès. Lors du décès de son maître, le chat sera alors pris en charge par l'organisme ou la famille d'adoption. Cela évite ainsi bien des situations de panique et de stress.

Un chat adulte, propre et autonome convient davantage à une personne âgée ou dont les jours sont comptés.

Même les autres animaux du foyer ont besoin de temps pour se remettre de la mort de leur compagnon de jeu et accepter des nouveaux venus.

Les enfants face au deuil

Selon leur âge, les enfants réagissent différemment à la mort de leur animal familier. C'est la première fois que la plupart d'entre eux seront confrontés à cet événement qui fait inévitablement partie de la vie. C'est aussi le rôle des parents d'essayer de leur expliquer pourquoi leur chat est mort et de les consoler, mais parfois une tierce personne est mieux placée pour les aider.

Ne sous-estimez jamais le chagrin ou la réaction d'un enfant. Il peut être affecté de multiples façons de ce deuil et les répercussions sur son comportement, sa santé, son apprentissage scolaire et sa socialisation peuvent être aussi graves que durables. La seule chose à ne pas faire est de lui dire que son

chat a été « endormi », ce qui lui donnerait de faux espoirs et lui laisserait croire qu'un jour son compagnon se réveillera. Les contes de fées sont à éviter absolument !

Faut-il laisser un enfant voir le corps de son chat mort ? Tout dépend de son âge, de son caractère et de sa maturité psychologique et affective.

La réaction des autres animaux du foyer

Les autres animaux du foyer peuvent, eux aussi, souffrir de la perte de leur compagnon de jeu. Certains propriétaires préfèrent les laisser voir et flairer le corps du chat défunt, pour qu'ils se rendent compte de sa disparition définitive et lui disent un dernier adieu. Le mieux est de continuer à s'occuper d'eux comme d'habitude, sans rien changer à leur routine quotidienne, et de les laisser établir une nouvelle hiérarchie entre eux. Et sachez qu'il est beaucoup trop tôt pour envisager d'acquérir un nouveau chat. Ce n'est vraiment pas le moment de vous créer des problèmes supplémentaires !

Un remplaçant ?

Vous seul êtes capable de savoir si le moment est venu de songer à trouver un « remplaçant » à votre animal défunt. Si vous estimez être prêt pour une nouvelle aventure, sachez que des centaines de chats, jeunes et vieux, attendent d'être adoptés dans les refuges. Ils n'attendent que vous, un bon maître, pour leur offrir la vie heureuse qu'ils méritent.

Conseil

Après la mort d'un chat, n'en reprenez pas un tout de suite en pensant faire plaisir aux autres animaux du foyer (même si c'est parfois le cas). Ces derniers risquent de le considérer comme un intrus et de le rejeter. Et attendez vous-même d'être physiquement et psychologiquement prêt pour accueillir un nouvel arrivant dans la maison [voir pp. 76-79 et 82-83].

INDEX

CRÉDITS PHOTOGRAPHIQUES

Ardea 73 en-bas/Jean-Paul Ferrero 10/**Bruce Coleman Collection**/Heral Lange 121 en bas à gauche, 129/**Kim Taylor** 124/**Corbis UK Ltd**/Lynda Richardson 7 en bas à gauche, 67 en bas/**Frank Lane Picture Agency**/David Dalton 18 en haut/Philip Perry 66 en bas/**Walther Rohdich** 142 **Getty Images**/Kathi Lamm 59 en haut à droite, 71/**Maria Spann** 57/**Arthur Tilley** 80 **Octopus Publishing Group Limited** 6 en bas à droite, 12 en bas à droite, 18 en bas, 41, 43 à gauche, 114/**Jane Burton** 1, 2-3, 9, 12 en haut à droite, 20 en haut, 21 en haut à droite, 21 en bas à droite, 21 en bas au centre, 24, 30 à gauche, 30 à droite, 30 au centre, 32 en haut, 34 en haut à gauche, 34 en haut à droite, 34 en bas à gauche, 35 en haut, 35 en bas, 36 en haut, 36 en bas, 38, 40 en haut, 40 au centre, 40 en bas, 42 à gauche, 42 à droite, 42 au centre, 44, 48 en haut, 50 en bas à droite, 52 en bas, 53, 54, 56, 60 au centre, 63 en haut à gauche, 66 en haut, 66 en bas, 77, 78 en haut, 78 en bas, 81 à gauche, 91 en bas à droite, 91 en bas à gauche, 93 en haut à gauche, 93 en haut à droite, 98, 101, 102, 103 en haut à gauche, 103 en haut à droite, 103 en bas à droite, 103 en bas à gauche, 104, 107 en haut à gauche, 107 en haut à droite, 107 en bas à droite, 107 en bas à gauche, 108, 109, 112 en haut à gauche, 112 en haut à droite, 112 en bas à droite, 112 en bas à gauche, 113, 113 en bas, 115, 136 en haut à droite, 136 en bas à droite, 136 en bas à gauche, 137 à gauche, 137 au centre, 139, 140, 143, 145 en haut à gauche, 145 en bas à gauche, 149 à droite, 149 au centre 150 en haut, 151 en haut, 153 en haut, 153 en bas, 156/**Stephen Conroy** 43 à droite/**Nick Goodall** 117 en haut à gauche/**Steve Gorton** 5 en haut à droite, 5 au centre à gauche, 8, 11, 13 en haut à droite, 13 en bas à droite, 20 en bas, 22, 26, 27, 47, 48 en bas, 49, 50 en haut à gauche, 52 en haut, 55, 58 en haut à droite, 58 en bas à gauche, 59 en haut à gauche, 59 en bas à droite, 59 en bas à gauche, 60 en bas, 61 en haut à gauche, 61 au centre à gauche, 61 en haut à droite, 62 en haut à gauche, 62 en haut à droite, 64, 65, 67 en haut à droite, 68 en haut à gauche, 68 en bas à droite, 69 en haut, 70, 73 en haut, 74, 75, 76, 79, 81 à droite, 82, 83, 85 en haut, 85 en bas, 86 en haut, 87 en haut à gauche, 87 en bas à droite, 87 en bas à gauche, 88, 89 en haut à gauche, 89 en bas à droite, 90 en bas à droite, 93 en bas à gauche, 94, 100, 106, 111 en bas, 117 en bas à droite, 120 en haut à droite, 120 en bas à droite, 120 en bas à gauche, 130, 132, 133, 172, 173 en bas, 181 en haut à droite, 181 en bas à droite, 181 en bas à gauche, 183 en haut, 184 en haut, 184 en bas, 188/**Rosie Hyde**/**Stonehenge Veterinary Hospital** 135, 171/**Peter Loughran** 16 en haut à droite, 37, 39, 71 en haut, 145 en haut à droite, 150 en bas à droite, 175 en haut/**Ray Moller** 15 en haut, 16 en bas à gauche, 17 en bas à droite, 19 en haut, 60 au centre à droite, 61 au centre à droite, 61 en bas à droite, 63 au centre/**Dick Polak** 159/**George Taylor** 118/**Marc Henrie** 7 en bas à droite, 25, 46, 51, 134, 155 en bas à droite, 169 en haut, 170, 174, 176, 181 en haut à gauche, 182 **RSPCA Photolibrary**/**Angela Hampton** 154 en bas à droite, 165 à droite, 168 **Dr A H Sparkes** 164 **Warren Photographic**/**Jane Burton** 4, 5 en haut, 5 en haut au centre, 5 en bas à droite, 5 en bas à gauche, 5 en bas au centre, 6 en haut à droite, 6 en bas à gauche, 7 en haut à droite, 12 en bas à gauche, 13 en haut à gauche, 13 en bas à gauche, 14, 15 au centre, 15 en bas, 16 au centre, 16 en bas à droite, 17 en bas à gauche, 19 en bas, 23, 28, 29, 32 en bas, 33, 60, 60 en haut, 60 en haut à gauche, 62 au centre, 62 en bas à gauche, 63 en bas à droite, 84, 90 en haut à gauche, 90 en haut à droite, 90 en bas à gauche, 92, 96, 97, 99, 99 en bas à droite, 105, 110, 111 en haut, 116, 121 en haut à gauche, 121 en haut à droite, 121 en bas à droite, 123, 125, 131, 136 en haut à gauche, 137, 144 en haut, 144 en bas à droite, 144 en bas à gauche, 145 en bas à droite, 146 en haut à gauche, 146 au centre à gauche, 146 en haut à droite, 146 au centre à droite, 146 en bas, 147 en haut à gauche, 147 au centre à gauche, 147 en haut à droite, 147 en bas, 148 à gauche, 148 à droite, 148 au centre à gauche, 148 au centre, 149 à gauche, 151, en bas, 152, 154 en haut, 154 en bas à gauche, 155 en haut à gauche, 155 en haut à droite, 155 en bas à gauche, 157, 158, 160, 161, 162, 165 à gauche, 166, 167, 169, 175 en haut, 177, 179, 180 en haut, 180 en bas à droite, 180 en bas à gauche, 183 en bas, 185, 186, 189.